Winters van toen

Echte winters van de vorige eeuw

Die winters van toen!
Het lijkt of ze mettertijd
nóg kouder worden.

haiku van Masharo Jasuchi

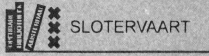
Winters van toen

Echte winters van de vorige eeuw

Harry Otten

Reinout van den Born

Tom van der Spek

KOSMOS

KOSMOS

www.kosmosuitgevers.nl

© 2007 Meteo Consult

Concept: Marieke van der Schaar

Vormgeving: R2d ontwerpers: Marieke van der Schaar en Jac de Kok

Illustraties: zie fotoverantwoording, blz. 143

ISBN 978 90 215 2111 4

NUR 680, 912

Inhoud

Voorwoord

De winters van tegenwoordig lijken steeds minder voor te stellen. Vroeger kon je toch wel om de andere winter op natuurijs schaatsen, denk je onwillekeurig. Als we alle verhalen over het warmer worden van het klimaat moeten geloven, dan wordt winter in Nederland steeds zeldzamer. Als de winter dan geschiedenis wordt, is het in ieder geval goed de herinneringen aan de winters van toen vast te leggen. Het idee kwam van Marieke van der Schaar. Reinout van den Born, Tom van der Spek en ikzelf zijn er enthousiast mee aan de gang gegaan. We werden daarbij geholpen door allerlei mensen die ons graag hun eigen verhaal vertelden of prachtige foto's hadden. Heel veel dank daarvoor.

We blikken in dit boek terug op de echte winters van de vorige eeuw. Dat doen we niet alleen aan de hand van weerkundige feiten, maar we kijken vooral ook wat het met de mensen van toen deed. In vroeger tijden, zonder centrale verwarming en zonder dubbel glas, hadden kou, sneeuw en ijs een heel andere impact. Wordt ons geheugen in de loop van de jaren vervormd? Was het echt zo koud en lag er wel zo veel sneeuw? Jaap van Suchtelen treedt daarvoor in de voetsporen van Douwe Draaisma. Voor de 50+generatie zal dit boek een feest van herkenning zijn, maar ook jongeren zullen het met veel interesse lezen. De winter is bij uitstek het seizoen waarin de belangstelling voor meteorologie bij velen begint en hen nooit meer loslaat. Wij hopen dat u net zo geniet van dit boek als wij bij het doorspitten van al het prachtige materiaal. Uiteraard blijven we hopen op die volgende koude winter wanneer de Nederlandse vaarten en plassen weer bevolkt worden door ervaren schaatsers en kinderen die er hun eerste schaatslessen krijgen.

Harry Otten, Wageningen, najaar 2007

Waarom een boek over de winters van toen? Ten eerste omdat de laatste strenge winter zo lang geleden is. En ten tweede omdat we door de warmte van de laatste jaren steeds meer zijn gaan praten over de winters van toen, er steeds meer herinneringen over zijn gaan ophalen. Een boek uit nostalgie dus over iets wat was en misschien wel nooit meer zal terugkomen Dromen van een 'echte winter' is vooral iets van de jongere generaties, die nog weinig hebben meegemaakt. Ouderen weten wel beter, want goed beschouwd is het in een echte winter geen pretje buiten de deur. En toch, als een snijdend koude wind ons om de oren waait, zelfs de warmste kleding niet warm genoeg is en we na verloop van tijd naar binnen moeten om weer een beetje bij te komen, genieten hele volksstammen. Als opa's en oma's vertellen over hun ervaringen tijdens de winters van toen, wordt het stil in de kamer. Het zijn verhalen van bijna mythische proporties. Ze voeren ons terug naar de tijden van weleer, toen er nog saamhorigheid bestond. Iedere generatie haar eigen legendarische winters. Neem de winters van 1917 en 1929, de winters tijdens de oorlog en daarna die van 1947, 1956, 1963 en 1979. Ze hebben een voorname plaats gekregen in de herinneringen van veel Nederlanders. Daarna waren er strenge winters in 1985, 1986, 1987, 1996 en 1997, maar die zijn al minder 'mythisch' dan hun voorgangers. Dit boek gaat over strenge winters. Hoe beleefde men die winters van toen, wat droegen de mensen om warm te blijven, wat

voor soort kachels bestonden er en waarop brandden die en was het allemaal wel zo leuk als de verhalen doen vermoeden? Bij al die verhalen zijn talloze, bijzondere winterfoto's opgenomen.

Dat de winters van toen zo anders lijken dan die van nu, heeft met meer te maken dan met het klimaat alleen. Zo zijn er psychologische mechanismen waardoor gebeurtenissen van vroeger in onze herinnering worden vervormd – de tijd leek in onze jeugd minder snel te verlopen, afmetingen leken groter. Dit kleurt ook onze 'winterbeleving'. We komen hier in een apart hoofdstuk op blz. 133 e.v. op terug.

Verder worden we door de toename van de welvaart en de betere techniek steeds minder geconfronteerd met de niet zo aangename kanten van de winter: de kou, de gladheid op straat, bevroren waterleidingen en moeilijk startende auto's. Door het toegenomen comfort van onze huizen en auto's is onze winterbeleving een stuk minder intens dan 'toen'. Gevolg is dat we zelf minder weerbaar zijn geworden. Ook dat komt in dit boek aan de orde.

De koude winters van toen konden mooi zijn, maar ook lastig, levensbedreigend zelfs, bij sneeuwval en heel strenge vorst. Dit boek gaat daarover, over het ongemak en het lijden dat winters soms betekenden, en over schaatsplezier, sneeuwpret en gezellig allemaal samen rond de kachel, al die dingen waarnaar we soms zo terugverlangen.

Winterstilte

De grond is wit, de nevel wit,
De wolken, waar nog sneeuw in zit,
Zijn wit, dat zacht vergrijzelt.
Het fijngetakt geboomte zit
Met witten rijp beijzeld.

De boom houdt zich behoedzaam stil,
Dat niet het minste takgetril
't Kristallen kunstwerk breke,
De klank zelfs van mijn schreden wil
Zich in de sneeuw versteken.

De grond is wit, de nevel wit,
Wat zwijgend tooverland is dit
Wat hemel loop ik onder
Ik vouw de handen en aanbid
Dit grootsche, stille wonder.

Jacqueline E. van der Waals, 1868-1922

Kinderen hebben een glijbaan gemaakt op een gladde straat.

De winter van 1917

Een strenge winter op het verkeerde moment

Reinout van den Born

Na een hele reeks normale tot zachte winters, waarmee de twintigste eeuw in Nederland van start ging, en een enkele koude, was de winter van 1916/1917 de eerste strenge winter in de nieuwe eeuw die de Lage Landen aandeed. Het was een winter op een onwelkom tijdstip, die zich afspeelde tegen de uiterst gewelddadige achtergrond van de Eerste Wereldoorlog, waarbij vrijwel geheel Europa betrokken was.

Sinds de zomer van 1914 werd al strijd gevoerd tussen Duitsland en Oostenrijk-Hongarije in Midden-Europa (de Centralen) enerzijds en Rusland, Groot-Brittannië, Frankrijk en een aantal andere landen (de geallieerden) anderzijds. België, dat net als Nederland neutraal wilde blijven, werd meegesleurd doordat de Duitse aanval via haar grondgebied liep. Tijdens de oorlog werden de Centralen versterkt door de deelname van het Ottomaanse Rijk (waar het tegenwoordige Turkije deel van uitmaakte) en Bulgarije, terwijl Japan, Italië, Portugal, Roemenië en de Verenigde Staten de geallieerde zijde kozen. De omvang van de oorlog wordt duidelijk als je bedenkt dat aan het eind 25 staten en hun koloniën, met 1,35 miljard inwoners, oftewel driekwart van de toenmalige wereldbevolking, betrokken waren.

Na de Duitse inval in 1914 gingen miljoenen Belgen op de vlucht. Honderdduizenden trokken via Oostende en Zeebrugge naar Engeland. Eenzelfde aantal trok verder naar Frankrijk. Meer dan één miljoen vluchtelingen kwamen uiteindelijk in Nederland terecht. Onder deze vluchtelingen bevonden zich ook vijfendertigduizend militairen, die werden geïnterneerd. Duizenden 'gemotiveerden' van hen zouden ontsnappen via Groot-Brittannië en Frankrijk, om opnieuw deel te nemen aan de oorlog.

Het grootste deel van de burgervluchtelingen keerde voor het einde van het jaar 1914 weer terug naar huis. Meer dan honderdduizend Belgen bleven echter in Nederland achter en bevonden zich ook tijdens de winter van 1917 binnen onze grenzen.

Met uitzondering van Spanje, de Scandinavische landen, Zwitserland en Nederland zouden uiteindelijk alle Europese landen bij de Eerste Wereldoorlog betrokken raken. Eerst werd nog verwacht dat het een korte oorlog zou worden. 'Weer thuis als de bladeren vallen,' was de veelgehoorde slogan. Maar het werd een ongekend lange en wrede oorlog waarvan de fronten al na anderhalve maand vastlagen. Wat volgde was een vier jaar

De vermaarde hardrijders familie Castelijn in 1912/1913 op het ijs bij Leeuwarden. Let op de kleding...

durende, zinloze loopgravenstrijd langs onder meer het West-front, van Nieuwpoort in België via grote delen van Frankrijk tot Bazel in Zwitserland, die miljoenen slachtoffers kostte. Op de slagvelden bij Verdun en aan de Somme vielen in een paar jaar tijd meer doden en gewonden dan bij alle veldslagen van de eeuw daarvoor samen (bij de Somme zeshonderdduizend geallieerden en zevenhonderdvijftigduizend Duitsers).

Nederland en België

Nederland en België wilden niets te maken hebben met de oorlog. Beide landen dachten er namelijk niet echt beter van te worden als ze wel meededen. Bovendien verdiende Nederland veel aan de handel, eigenlijk met beide kanten van het oorlogsfront. Doordat de handel steeds beperkter werd, raakten een heleboel mensen hun baan kwijt. Veel Nederlanders leden dan ook armoede tijdens de Eerste Wereldoorlog, terwijl ons land uiteindelijk niet heeft meegevochten. De jaren 1917 en 1918

waren voor Nederland de zwaarste uit de oorlog. De oorlogs-moeheid, de schaarste en rantsoenering drukten de stemming en verhoogden de onvrede. De prijzen hadden vlees al tot een luxeartikel gemaakt, iets wat het socialistische tijdschrift *De Notenkraker* een wrang commentaar ontlokte: 'Als het varkens-vlees even duur was als het Kanonnenvlees, waren we uit de brand.'

Winter

Het was in deze sfeer van misère en toenemende hopeloosheid dat tot overmaat van ramp – vanaf de tweede helft van januari 1917 – de winter hard toesloeg. Nadat de eerste helft van de winter, op wat plaagstootjes met soms ook sneeuw na, relatief zacht was verlopen, ging het nu ineens hard vriezen. Binnen de kortste keren vroren de meeste vaarwegen dicht en kon er voor het eerst die winter geschaatst worden. Al snel zwollen de geruchten over een ophanden zijnd kolentekort aan. *Het Volk*

Volendamse kinderen beelden samen op het ijs een slee uit. Foto genomen in 1914.

Een gewonde deelnemer aan de Elfstedentocht wordt in Hindeloopen op de schouder naar een persauto gedragen en weggebracht (1917).

Deelnemers aan de 20-plaatsentocht van het *Algemeen Handelsblad* in 1917. Het is bijna een Hollands schilderij.

Ondanks de moeilijke omstandigheden tijdens de winter van 1917 was er zeker ruimte voor vertier. Op deze twee foto's wordt op traditionele wijze een Marker bruiloft op het ijs gevierd.

wijdde er op 23 januari al een verhaal aan. De krant wees erop dat de kolenvoorraden in ons land nooit groot waren, het op voorraad hebben van de schaarse brandstof was gewoon te duur. Ook deed het toenemende gebrek aan kolen zich gelden bij de beschikbaarheid van cokes, een bijproduct van kolen dat ontstaat als daar bijvoorbeeld gas uit wordt gewonnen. De kans op tekorten nam dus inderdaad toe. Het zou van de Limburgse mijnen moeten komen, concludeerde de krant.

Het verbazingwekkende is dat in de kranten van die tijd, die natuurlijk bol stonden van het oorlogsnieuws uit de rest van Europa, toch ook plek wordt ingeruimd voor de ijspret.

Zoals in de *Nieuwe Rotterdamsche Courant* van 29 januari over Den Haag: 'Men schrijft ons: Dit is een dag van ongedwongen vroolijkheid op het ijs geweest. Men zei vroeger bij wijze van spreken wel eens, dat er bij de een of andere gelegenheid, geen moedertje bij haar spinnewiel gebleven was: als wij tegenwoordig nog spinnewielen en oude dames hadden, zou 't ook nu

gezegd kunnen worden. Ieder wie maar beenen had om naar het ijs te gaan, is er vroeg in den ochtend al heen getrokken: jong en oud (de ouden lang niet altijd 't minst geestdriftig), rijk en arm, in een auto of gewoonweg maar te voet, naar de ijsclub, waar "every-body" vandaag bijeen was, of op een slootje hier of daar in een weiland – hoe dan ook, iedereen is vandaag naar 't ijs geweest. Een prachtige strakblauwe lucht stond den heelen dag boven het wijde vergezicht van ons Hollandsche vlakke land; de zon verzachtte eenigszins de scherpte van den soms wel wat barschen Noordooster.'

De krant vervolgde: 'Allebei de vijvers in 't Bosch zagen zwart van de liefhebbers, op den Schenk krioelde 't van tochtenmakers, de grachten in de stad zelf waren in ijsbanen herschapen en de officiële ijsclub had het zoo druk als wij 't deze week overdag nog niet gezien hadden. (...) Een groot deel van 't publiek bleef op de baan koffiedrinken en moest zich dan met wel eens wat beenige of waterige erwtensoep, in sommige

gevallen zelfs met in 't geheel niets tevreden stellen. Maar inplaats, dat dat afbreuk deed aan de pret, werd die er nog des te grooter op. (...) Toen wij naar huis gingen, ging de zon bloedrood onder; tegen de verbleekende lucht staken de huissilhouetten scherp af als een schimmenspel. De thermometer stond al weer een paar graden onder nul, zoodat wij zeker op nog wel een dag of wat van 't zelfde heerlijke winterweer mogen rekenen!'

De Elfstedentocht, de derde uit de geschiedenis, was toen al verreden. Dat gebeurde op zaterdag 27 januari 1917 bij weinig vorst, een matige oostenwind en hard, oneffen ijs. Winnaar was Coen de Koning in een tijd van 9 uur en 53 minuten. Dankzij het mooie weer bereikten 37 van de 42 wedstrijdrijders het eindpunt en 83 van de 108 toerrijders. Janna van der Ploeg was de eerste vrouw die over de streep kwam.

Op 1 februari meldde de *Nieuwe Rotterdamsche Courant* dat de grenswacht in Oldenzaal twee volledig geüniformeerde Duitse

militairen had opgepakt, in een winkel. De militairen verklaarden dat zij de grens waren overgestoken vanwege de honger die in hun eigen land heerste. Het plan was om in Nederland in de winkels levensmiddelen in te kopen. Wat er uiteindelijk met de militairen is gebeurd, vermeldt het verhaal niet. Overigens vonden er in 1917 vanuit Nederland ook af en toe voedselleveranties naar Duitsland plaats. Dit zeer tegen de zin van het deel van de Nederlandse bevolking dat met steeds grotere tekorten te kampen had.

Kolennood

De vorst wist van geen wijken en tien dagen later, op 10 februari, liet de weerkundige medewerker van de Nieuwe Rotterdamsche Courant zijn licht over de winter van 1917 schijnen: 'Vergeten zijn de kwakkelwinters,' schreef hij met verwijzing naar de zachte winters die de eerste zestien jaar van de nieuwe eeuw domineerden. 'We zijn er nu weer heelemaal in. De jongelui

Beeld van de Elfstedentocht in 1917, genomen in Sneek. Er waren in totaal 150 deelnemers.

Enkele deelnemers bestuderen de kaart met daarop het traject van de Elfstedentocht van 1917.

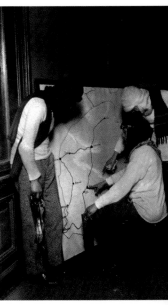

Ergens in Nederland moet gevaarlijk ijs worden opgeruimd.
De kruitbommen, waarmee het ijs zal worden opgeblazen, worden door militairen op een wagen geladen, waarop ze naar het ijs worden gebracht.

De bussen worden in het ijs geplaatst.

De militairen blazen de ijsdam op.

Tijdens de winter van 1917 nam de kolennood in Nederland grote vormen aan. Hier halen mensen, gekleed in winterkleding, cokes bij de Oostergasfabriek in Amsterdam.

In een sloep, met daarin de kruitbommen, gaan de militairen vervolgens het ijs op.

kennen het schaatsenrijden, buitenover, gelijk voorheen, ze maken kennis op het ijs, en feestelijk gaat men er 's avonds gecostumeerd op uit, om na het korte daglicht de ijspret bij electrisch voort te zetten. (...) En wie zou nog twijfelen of het wintert na het lezen over de mode, die ons Lucie de Gérardus vol pittige opmerkingen beschrijft, of bij het zien van de griezelig gebarsten winterhanden die bij handelaars in zalven en glycerine achter de besneeuwde ruiten liggen? Meer nog spreekt de winter uit den kolennood, die hier ter stede uit het ongerijmde is ontstaan. Wie een poos geleden zijn kolenboer opbelde, vernam: "Ik kan u niets leveren, want er is staking"; en wie nu opbelt, kan geen kolen krijgen omdat ze er niet zijn. Vrage: hoe zijn ze verdwenen?'
Vervolgens beklaagde de weerkundige zich over de moeilijkheden waarmee hij tijdens die oorlogswinter van 1917 zelf in zijn werk te kampen had: 'Evenwel blijft de wind al weken lang uit Oost en de thermometer blijft laag. Voor de vele belangstellenden in het weder is het nu wel bijzonder te betreuren dat de weerberichten zoo onvolledig zijn. Hoe gaarne zou men eens de bijzonderheden van wind en weder en de luchtdruk-verdeeling willen kennen bij IJsland en de Azoren, of eens 'n uitgebreide weerkaart zien over geheel Europa tot ver Oostwaarts in Rusland, zooals de Deutsche Seewarte ze vroeger publiceerde met temperatuurwaarnemingen in de bovenlucht op de vliegerstations.'
Weerkaarten verschenen niet of nauwelijks: 'We moeten tevreden zijn met de weinige telegrammen die ons uit Zweden, Denemarken en Duitschland nog bereiken, want zelfs Noorwegen gaat al meer en meer ontbreken.' Over het winterweer: 'Het weder is van een vastheid geworden dat we ons geen verandering meer kunnen indenken, niettegenstaande alle onfeilbare voorteekenen van dooi zich beurtelings hebben vertoond. (...) Witvriezen, dat het meermalen deed, hielp al even weinig als de heldere kring die om de maan stond. De kring trok weg

De pont bij Nijmegen, normaal de verbinding tussen Lent en Nijmegen, vaart vanwege het ijs niet. In plaats daarvan is er een ijspad over de Waal!

Bergen ijs op het strand bij Scheveningen...

Het heeft hard gesneeuwd in Amsterdam. Grote groepen mensen trekken eropuit om met de hand sneeuw te ruimen op de Dam.

en het vroor dat het kraakte. Schaapwolkjes, een harige zon, windveeren, uitslaande stoepen, ze hebben en bloc afgedaan, we gelooven aan niets meer, het vriest door dik en dun heen.' Klimaatverandering, ook toen? 'Toch wordt deze koudegolf niet zozeer getypeerd door de felheid van de vorst in recordcijfers, dan wel door het gelijkmatige aanhouden van strenge koude gedurende de nachten. Deze onverzettelijkheid wekt al gedachten op aan een nieuw aangevangen ijstijdperk of de algemeene afkoeling der aarde. En zeker komt zij ongelegen aan de geleerde doctoren, die de serie zachte winters al verklaarden uit ene gewijzigden stand der aardas ten opzichte van den Melkweg. Mogelijk heeft daar ook al een verdunning plaats gehad en zal men er eveneens 15 cent op de flesch moeten plakken om er gelijk hier te Rotterdam het overmatige hemelsche blauw weer uit te krijgen.'

De moraal van het verhaal was vrij triest: 'Zoo is deze winterkoude niet van een bijster hevigen aard, zij wordt niet pijnlijk gemaakt door snijdenden wind, zij valt in den tijd die er voor is, en overdag wordt zij door de zon heerlijk getemperd. Onder gewone omstandigheden zou dan ook niemand hierover kunnen klagen. Maar de omstandigheden zijn buitengewoon. Als het koud is en men kan maar mondjesmaat stoken. Na een diner dat geen erwtensoep kon opleveren omdat in de heele stad geen erwt te krijgen is, en men te kiezen had tusschen duur bier of een glas delicieus welriekend water tegen de dorst, en dan een courant openslaand met 48 kolommen vol narig-

Op een trambaan in Amsterdam is een groepje druk in de weer om de sneeuw te ruimen. Een vrachtwagen staat klaar om alles mee te nemen.

Door zware sneeuwval bij Weesp zijn leidingen omlaaggekomen.

heid, dan is de winter niet wat hij vroeger was. Toen konden we hem zien als een tijd van opwekkende sport vol zonneschijn, met gezellige avonden. En wat brengt ons deze koude? Niet enkelen, maar zoovelen, duizenden, millioenen? Winter in de natuur, winter, strenge winter in het hart: en daarna, zal het dan lente voor ons gaan worden? We gelooven er bijna niet meer aan.'

Einde vorst

Op 24 februari kon in de kranten dan eindelijk het einde van de vorst worden bezongen. De wind is zuid, schrijft 'Ome Wim' in het in Utrecht en omstreken verschijnende dagblad *Het Centrum*. De sneeuw smelt, de druppels vallen voor de ramen langs van de daken. Goddank, zegt hij, want wat hadden ze te lijden: de vogels, de fabrieksarbeiders – door het gebrek aan grondstoffen veelal zonder werk – de scheepvaart en de bouw. De meeste mensen hadden meer dan genoeg van vorst, sneeuw, ijs en schaatsen, wist hij. Alles zou nu beter worden. Dat stond echter nog maar te bezien. In de Tweede Kamer barstte al snel een discussie los over de effectiviteit van het distributiebeleid tijdens de voorbije winter. 'Men at zich naar de honger toe,' meldden enkele ontevreden volksvertegenwoordigers. De verantwoordelijke minister gaf echter geen krimp. Er zou in Nederland geen honger worden geleden, had hij beloofd. En hij hield die belofte overeind. Wel was er behoefte aan extra mankracht om de turfvoorraad voor de winter van

Schade door krui-
end ijs bij Gorin-
chem. Huisjes op
de wal zijn door het
ijs ontzet.

1918 weer op peil te brengen. Een van de ministers wist dat er in Rotterdam nog 'genoeg flinke mannen' beschikbaar waren. Die moesten in de maanden daarna maar eens hard aan het werk worden gezet. Ondanks de goede voornemens verbeterde de situatie nauwelijks. De onvrede groeide en in april en juni brak in Amsterdam het 'aardappeloproer' uit, waarbij burgers een aardappelschuit leeghaalden die bestemd was voor militairen. Een groep militairen werd vanuit de Morschpoortkazerne te Leiden voor korte duur naar Amsterdam bevolen. Winkels en pakhuizen werden geplunderd, een demonstratie eindigde in ongeregeldheden. Er werd door de militairen ingegrepen.

En zo kwam een einde aan de eerste strenge winter van de twintigste eeuw. Hij begon laat en was niet eens zo heel bijzonder koud, maar hij kwam vooral ongelegen in een land dat zuchtte onder de gevolgen van de grote oorlog die andere delen van het Europese continent in zijn greep had.

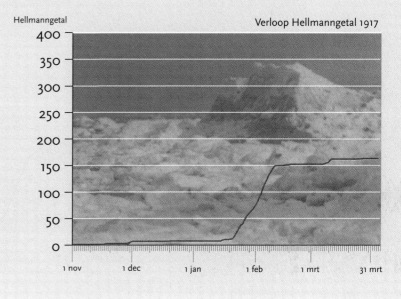

Hellmanngetal | Verloop Hellmanngetal 1917

400
350
300
250
200
150
100
50
0

1 nov · 1 dec · 1 jan · 1 feb · 1 mrt · 31 mrt

Mannen en kinderen op de bevroren rivier de Waal bij Nijmegen met op de achtergrond de Nijmeegse spoorbrug, winter 1917.

De opbouw van het Hellmanngetal tijdens de winter van 1917. Het Hellmanngetal is een maat voor de hoeveelheid kou die tijdens een winter geproduceerd wordt. Elke dag met een gemiddelde temperatuur beneden nul telt mee. Heeft een dag bijvoorbeeld -2 graden als gemiddelde temperatuur, dan scoort die dag 2 punten, een dag met een gemiddelde temperatuur van -5 graden scoort 5 punten. Door al die punten in de maanden november tot en met maart bij elkaar op te tellen, ontstaat het Hellmanngetal. In de grafiek is de plaats waar de lijn snel oploopt een periode in de winter die erg koud is verlopen. Zo zie je precies wanneer de winter het strengst was.

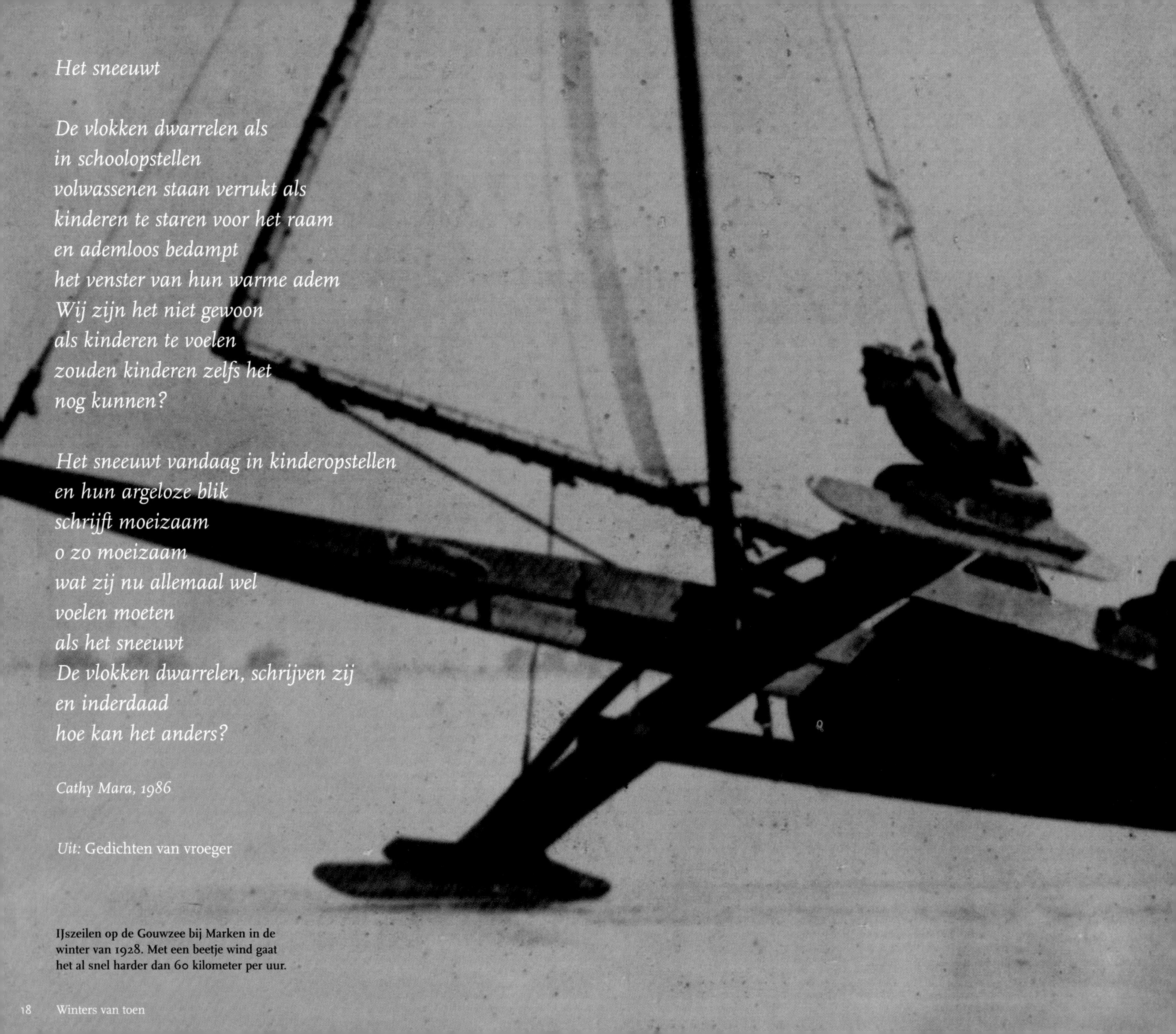

Het sneeuwt

De vlokken dwarrelen als
in schoolopstellen
volwassenen staan verrukt als
kinderen te staren voor het raam
en ademloos bedampt
het venster van hun warme adem
Wij zijn het niet gewoon
als kinderen te voelen
zouden kinderen zelfs het
nog kunnen?

Het sneeuwt vandaag in kinderopstellen
en hun argeloze blik
schrijft moeizaam
o zo moeizaam
wat zij nu allemaal wel
voelen moeten
als het sneeuwt
De vlokken dwarrelen, schrijven zij
en inderdaad
hoe kan het anders?

Cathy Mara, 1986

Uit: Gedichten van vroeger

IJszeilen op de Gouwzee bij Marken in de
winter van 1928. Met een beetje wind gaat
het al snel harder dan 60 kilometer per uur.

De winter van 1929

Net voor de crisisjaren de ijzige kou in

Reinout van den Born

Na een paar wel koudere maar niet erg strenge winters, was die van 1929 eigenlijk de eerste echt strenge winter in bijna veertig jaar tijd! Sinds de legendarische winter van 1890/1891 was het in Nederland niet meer zo koud geweest.

Mijn oma, de op het moment van het schrijven van dit boek 88-jarige Aurelia Reitsma-Heidinga, herinnert zich de winter van 1929 nog maar al te goed. Ze was toen tien jaar en bewoonde met haar familie een woonschip in Friesland. Haar vader had een bouwbedrijf en verhuisde mee van project naar project. Het gezin Heidinga woonde, of lag dus, steeds op een andere plaats. Als de bouw erop zat, kwamen er twee of drie sleepboten om hun woonschip naar een nieuwe plaats te verhuizen.

In de winter van 1929 werd het ijs in de vaarten rond het schip zo dik dat het bijna dagelijks uitgehakt moest worden. Dat uithakken deed de familie niet zelf, vader liet het klusje steeds door werknemers van het bedrijf, die door het vorstverlet op de bouwplaatsen toch niets te zoeken hadden, opknappen. Zouden ze dit niet hebben gedaan, dan zou het schip door het ijs geplet zijn. Koud was het niet aan boord. De kachel werd de hele dag flink gestookt. En de negen kinderen van de familie Heidinga sliepen dicht op elkaar.

Luchtfoto van de KLM van een besneeuwd Schiermonnikoog in de winter van 1929.

Als er niet gewerkt werd – alle jongens van het gezin waren in het bouwbedrijf actief – werden er klussen binnenshuis opgeknapt of ging de familie schaatsen. Ook de meiden. Daarbij ging het niet alleen om plezier, soms kon er ook wat gewonnen worden. In een periode waarin door het ijzige weer niet gewerkt kon worden en er dus geen inkomsten waren, waren dergelijke prijzen welkom. Behalve de broers van mijn oma kon ook haar moeder goed schaatsen. Meer dan eens werd zij er door het gezin op uit gestuurd om de felbegeerde prijzen in de wacht te slepen. In haar beste goed, want in die tijd gingen de heren als heer naar de wedstrijden en de dames als dame. Het waren belangrijke sociale gebeurtenissen en dan moest je er goed uitzien, aldus mijn oma.

De winter van 1929 kwam toen Nederland nog een klein beetje nagenoot van de Olympische Zomerspelen, die in 1928 in Amsterdam waren gehouden en voor de Nederlandse sporters op een eclatant succes waren uitgedraaid. Nederland telde 7,7 miljoen inwoners, was al enige tijd bezig met de aanleg van de Afsluitdijk en leefde als altijd vooral van de handel. De verkiezingen die in 1929 werden gehouden, waren waarschijnlijk de rustigste van de periode tussen de twee werelddoorlogen. Toch betekende 1929 het begin van de crisisjaren die zouden volgen en die uiteindelijk in de Tweede Wereldoorlog zouden uitmonden. In oktober 1929 vond namelijk de beurskrach plaats die, overal ter wereld en dus ook in Nederland, in een diepe economische en sociale crisis ontaardde.

Op en af

Wanneer de strenge winter van 1929 in januari langzaam op gang komt, weet nog niemand in Nederland van het economische onheil dat later dat jaar de wereld zal treffen. De eerste zorg is in die dagen toch vooral wanneer het ijs op vaarten, grachten, plassen en meren eindelijk echt betrouwbaar zal zijn om massaal te kunnen schaatsen. Tijdens de januarimaand

Schaatsen op hobbelig ijs betekent af en toe ook vallen. Deze man heeft een kussen om zijn middel gebonden om al te erge schade te voorkomen.

IJszeilen op de Gouwzee bij Marken in de winter van 1928. Met een beetje wind gaat het al snel harder dan 60 kilometer per uur.

gaat het steeds op en af.

In de *Nieuw Rotterdamsche Courant* van 17 januari 1929 schrijft de correspondent in Amsterdam dat er 'toch weer ijs is': 'Het is wel merkwaardig, dat ondanks den fellen aanval van Pluvius jongstleden zondag Thialf zich niet volledig heeft laten verdringen, doch slechts tijdelijk de wijk genomen heeft. En gisteren heeft hij op verschillende punten in en om Amsterdam de heerschappij alweer heroverd!' Wat volgt is een beschrijving van de ijsbanen die de deuren al wel en soms ook nog niet hebben geopend.

Maar het gaat niet goed met schaatssport in Nederland, constateert de schrijver. Waarschijnlijk als gevolg van het vrijwel ontbreken van ijswinters in de twintigste eeuw tot dan toe 'is de schaatssport heusch eenigszins achteruit gegaan', schrijft hij. Maar: '(...) de sneeuwsport heeft geducht veld gewonnen. We informeerden eens in de grote warenhuizen en bij enkele bekende sportmagazijnen en daarbij bleek ons, dat de omzet in

schaatsen over de geheele linie teleurstellend was, doch de verkoop van allerlei soorten sleetjes de verwachtingen overtrof. Het is of 't voorbeeld uit de bergstreken van Europa – waarvan de film en de kranten zooveel moois toonen – aanstekelijk werkt.'

Op 25 januari valt in *Het Vaderland* te lezen over Den Haag: 'De man, die de hekken bij de Haagsche IJsclub opent en sluit, heeft den laatsten tijd wel druk werk. Nauwelijks heeft de directie gesproken: "hekken open voor schaatsenrijdend Den Haag", of de dooi valt in en de hekken moeten weer dicht. En nauwelijks zijn de hekken dicht, of de vorst komt weer opzetten... Driemaal is scheepsrecht geldt nu ook voor de IJsclub. Driemaal is de baan geopend en we twijfelen er niet aan, of binnenkort zal ze ook drie maal gesloten zijn geweest.'

Overdag dooit het die dagen, in de nachten komt het tot vorst. Een noordwestelijke wind voert sneeuwbuien aan, die het land wit kleuren maar de binnensteden van niet meer dan een pap-

Sneeuw in de straten betekent voor paarden ook gevaar. Hier worden de hoeven van een paard van spijkers voorzien, zodat ze niet steeds wegglijden.

Een ijsbarrière aan de toenmalige Zuiderzee. Duizenden mensen kwamen op dit bijzondere tafereel af.

perige laag voorzien. Sneeuwt het even hard, dan hebben de trams in Den Haag het meteen moeilijk. Behalve die op lijn 11, want die zijn met 'ruiten wasschers' uitgerust, net als alle trams in Amsterdam. Er wordt een klemmend beroep gedaan op alle Hagenaars om de vogels, die in zwermen van honderden tegelijk de stad aandoen op zoek naar voedsel, toch vooral niet te vergeten. De stad geeft massaal gehoor.

Het is de periode waarin de winter nog vriendelijk is. Overdag, als het dooit, denkt men alweer een beetje aan de lente, omdat de zon aan kracht wint. Maar elke ochtend wordt het land door de nachtvorst in winterse sfeer wakker. *Het Vaderland*: 'Het weerbericht voor schaatsenrijdend Holland is vrij gunstig. Alleen de wind kon beter. Westenwind, nu, dat voorspelt nooit veel goeds. Maar daartegenover staat dat men des nachts matige en overdag lichte vorst voorspelt. En met een verlangend hart vraagt jong-Holland, en oud-Holland, voor zoover het zich nog tot het feest der gladde ijzers voelt aangetrokken: Zou het waar zijn?'

Kou-inval

Het antwoord op die vraag laat nog ruim twee weken op zich wachten. Van 1 tot 9 februari vriest het elke nacht licht tot matig in Nederland, maar overdag stijgt het kwik tot boven het vriespunt. Dan volgt op 10 februari een kou-inval die zijn gelijke niet kent. Met een sterke oostenwind stroomt ijskoude lucht binnen, die Nederland in de week daarna zal doen rillen. Op 12 februari is het ijs al sterk genoeg voor de Elfstedentocht, de

vierde. Op matig tot slecht ijs, tegengewerkt door een snijdende noordoostenwind en bij een temperatuur die bij de start -18 °C bedraagt, is het Leeuwarder Karst Leemburg die na 11 uur en 9 minuten als eerste over de eindstreep in zijn woonplaats gaat. In totaal voltooien 54 wedstrijdrijders en 103 toerrijders de barre tocht van die dag.

Op de dag van de Elfstedentocht brandt het Leidse stadhuis af. De kranten pakken er de dag erna groots mee uit. Doordat het bluswater op de smeulende resten is aangevroren, ziet het gebouw er na de brand als een luguber ijspaleis uit. Overigens werd Nederland in die jaren tijdens perioden van winterweer vaak door grote branden getroffen. De kachels waren nog niet zoals nu. Als er flink werd gestookt, zaten ongelukken in een klein hoekje en was er zomaar sprake van een brand die snel om zich heen kon grijpen.

Het Vaderland schrijft op 13 februari niet alleen over de Elfstedentocht van de dag ervoor en over de Leidse brand, maar vooral ook over de ijspret in Den Haag. Nou ja, ijspret... 'Buiten, op de Schenk, op de Vijvers, op de beide ijsbanen heerschte de Noord-Oosten wind oppermachtig... Daar kon met geen mogelijkheid gereden worden, tenzij men er een paar bevroren ooren, handen of voeten voor over had... Maar op de grachten, daar is het wat anders. Die liggen beschut door de vaak hooge wallekanten, door de huizen, de boomen, daar dringt de wind in al zijn hevigheid niet door...'

Met de auto van Monnikendam naar Marken en weer terug over het ijs is een mooi ritje. De schaatsers op het ijs blijken zich met de auto's te hebben verzoend.

Het Leidsche stadhuis brandt af, maar toont zich na het bluswerk van een andere, fraaie kant. De resten van het gebouw omgetoverd tot ijspaleis.

Een parkeerplaats op het ijs bij het – toen nog – eiland Marken. Het gebeurt niet vaak dat het op het, anders zo stille, eiland zo druk is.

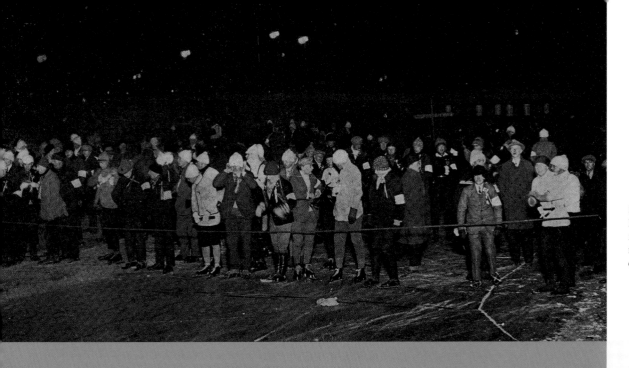

Start van de
Elfstedentocht in
1929. Ruim 150
mensen voltooien
de tocht.

Op het strand bij
Scheveningen heeft
ook de zoute
Noordzee zich door
het barre winter-
weer laten verschal-
ken.

Een barre tocht naar Terschelling

Deze anekdote over de dag van de Elfstedentocht, vonden we op internet: 'Ik ben 91 jaar en was toen 13 jaar en heb de winter van 1929 bewust meege- maakt. Een zuster van mijn moeder woonde op Terschelling, waar haar man hoofdonderwijzer was. Mijn moeder was gevraagd om mijn tante te komen helpen, daar zij haar tweede kind ver- wachtte en moeilijk hulp kon krijgen. Mijn moeder is op de trein gestapt (wij woonden in Bussum) en naar Harlingen gereisd om met de boot naar Terschelling te gaan. In Harlingen aan- gekomen vernam zij dat er geen boot meer ging en moest zij in Harlingen blijven. Zij zag daar de Elfstedentocht- rijders binnenkomen, met bevroren ledematen, wel ingepakt in krantenpa- pier, wat ook niet afdoende was. Er voer geen pakketboot naar de eilanden, dus wat nu? Zij heeft toen in een hotel overnacht. De volgende dag ging er een ijsbreker naar Terschelling en daar is mijn moeder in meegegaan. Zij is daar 14 dagen geweest en wilde toen wel naar huis, maar hoe? Er voer nog geen boot. Alles zat nog vast. Maar, er ging een vliegtuig, daar de eilanden wel bevoorraad moesten worden. Want er was gebrek aan alles. Enfin, zij kon met de piloot (Hr. Sillevis Smid) mee. De piloot zat nog in de openlucht, maar de 2 passagiers zaten in de gesloten cabine. De piloot werd ingesmeerd met olie, zijn gezicht dan en verder zat hij in het leer. Ze kwamen behouden aan op Schiphol. Het was toch een riskante onderneming toentertijd. Dit is mijn relaas, dat nog steeds in onze familie de ronde doet.'

Bijzonder moet het er die dagen hebben uitgezien bij de enige twee Haagse grachten die nog wel openlagen, de Conradkade en het Verversingskanaal. Beide profiteerden van het relatief warme koelwater dat hier door de elektriciteitscentrale geloosd werd. 'De temperatuur van het water verschilt, wanneer het bij voorbeeld tien graden Celsius vriest, dan ook zeker wel een vijf- tien graden met de buitenlucht. Het gevolg is, dat er een groo- te verdamping plaats heeft. En wie gisteravond dan ook langs de Conradkade (of Suezkade) kwam, kon het merkwaardige verschijnsel zien dat dikke dampen opstegen en door den ster- ken wind uiteengescheurd werden. Voor de meeuwen en de eenden is het een warm toevluchtsoord in dezen barren tijd, het is of de beesten elkaar waarschuwen!'

Voor de kust bij Scheveningen worden de eerste ijsschotsen gezien. Het begint nu toch wel duidelijk te worden dat Nederland met een heel strenge winter te maken heeft. Toch zal het, zo weet *Het Vaderland*, nog heel wat moeten vriezen wil de zee, zoals in 1890/1891, tot op drie kilometer uit de kust (op sommige plaatsen) dichtvriezen.

Poollandschap

Vijf dagen later is, bij aanhoudende vorst, het strand bij Scheveningen veranderd in een poollandschap. Trams en bus- sen van de Haagsche Tramweg Maatschappij voeren de hele dag mensen aan die Scheveningen willen komen bekijken. De toon in *Het Vaderland* is bijna lyrisch: 'De grond was keihard en

Mariniers oefenen
op het ijs in de
winter van 1929.

uiterst glad. Op vele plaatsen, waar de zee onder een sneeuwlaag had doorgespoeld, was het ijs erg bros, met het gevolg,
dat wie argeloos over een ijsdam wilde klimmen, aan den anderen kant ongeveer een halven meter wegzakte. Maar juist dit
gevaar trok menigeen aan om een tocht over de strandgletcher
te ondernemen. De grillige ijsmuur met spelonken en tunnels
liep evenwijdig met de zee en daar waar het gevaarlijk was,
hem te beklauteren, ging de groote stroom menschen er achter
heen. (...) Men kon verder loopen, om den ijsdam heen vlak
langs de zee en kwam dan onder de Pier terecht, waar de ijzeren stangen zich voordeden als dikke witte boomstammen uit
een tooverbosch. Wie durfde liep een eind door dezen ijsgrot
de zee in en liet zich daar kieken. (...) Jammer was het dat bijna
niemand eraan dacht een wandeling te maken langs de
besneeuwde duintoppen in de richting van het Pompstation.
Deze wandeling was zeer de moeite waard,' zo besluit de verslaggever van dienst zijn verhaal.

In deze periode vinden diverse mensen de dood door bevriezing. Meldingen zijn er uit Bergentheim, Apeldoorn, Emmen,
Barneveld en Ommen. Van een achttienjarige Leeuwardenaar
die over het ijs van de bevroren Zuiderzee naar Enkhuizen is
gelopen en bij wie oren, handen en voeten bevroren raken,
moeten beide benen worden geamputeerd. In Amsterdam worden warme maaltijden en gemeentelijke snert verstrekt aan de
mensen die door het barre weer niet meer in hun onderhoud
kunnen voorzien. Het Leger des Heils deelt koppen koffie uit.
De harde winter drijft mensen bijeen en brengt saamhorigheid
teweeg, waardoor buurtgenoten elkaar helpen. Mijn opa's
grootvader was parlevinker en voer in die tijd in Friesland met
een aardappelschip langs zijn klanten. Toen er ijs lag, ging dat
natuurlijk niet meer. In februari 1929 lag zijn handel per schip
stil, maar hij vond een oplossing: met een duwslee vol aardappels ging hij op pad, schaatsend over de vaarten. Omdat de
bouw stillag en er ook op het land weinig te doen was, zaten

De ijsweg over de
Nederrijn bij het
Drielse veer, als ver-
binding tussen de
Veluwe en de
Betuwe. Het ijs
heeft een dikte van
80 centimeter. Op
de achtergrond de
Westerbouwing.

IJsbrekers aan het
werk bij het Kraling-
se veer. Dankzij hun
inspanning zijn er
veel ijsschotsen, die
anders bij openen-
schuiven door de
wind rampen hadden
kunnen veroorzaken,
naar zee gedreven.

Zware vrachtwa-
gens rijden over de
bevroren Merwede
van Zwijndrecht
naar Dordrecht. Het
is tientallen jaren
geleden dat zoiets
mogelijk was.

Ook in Engeland
was de winter van
1929 zo koud dat
de (bevroren) melk
per lepel kon wor-
den uitgeleverd.

veel mensen tijdelijk zonder werk en inkomsten. Ook al konden ze op dat moment niet betalen, ze kregen hun aardappels wel. De openstaande bedragen werden op 'de balk' geschreven. Zodra de winter voorbij was en er weer inkomsten waren, konden ze dan alsnog worden voldaan. En zo ging het ook. Op deze manier kwamen veel mensen in deze barre periode toch aan de eerste levensbehoeften.

Dekens

De regering stuurt met spoed vierduizend dekens naar de arme veenkoloniën in het noordoosten. In Den Haag legt de gemeente vuren aan om taxichauffeurs de kans te geven hun verkleumde ledematen te warmen. De rivieren zijn inmiddels allemaal dichtgevroren. Veerdiensten zijn nauwelijks nodig omdat auto's en zwaarbeladen vrachtwagens meestal gewoon het ijs over kunnen steken. Zelfs tussen Dordrecht en Zwijn-drecht rijden vrachtwagens over de Merwede. *Het Vaderland*

drukt er prachtige foto's van af. In Nijmegen wordt het veerpad over de Waal af en toe buiten dienst gesteld als er scheuren in het ijs trekken. De kranten melden overigens dagelijks hoe het er met de ijswegen in Nederland voor staat.

Ook de Waddenzee is dichtgevroren en het duurt niet lang of de eerste waaghalzen gaan per auto op weg naar de Waddeneilanden. J. Heeringa uit Minnertsga bij Franeker is de eerste die Ameland bereikt. Het ijs op de Waddenzee is dan 30-35 centimeter dik. Op het Schildmeer in Groningen bedraagt de dikte van het ijs op 13 februari maar liefst 55 centimeter.

De laatste tien dagen van februari tempert de vorst en komt het kwik overdag steeds vaker boven nul. Net voor het einde van de maand keert de winter echter nog even in alle hevigheid terug, met opnieuw strenge vorst in de nachten. In de eerste weken van maart geeft de winter er dan toch langzaam de brui aan en begint de grote dooi. De gevolgen zijn niet onmiddellijk voorbij. Rond 21 maart is het drijfijs op het IJsselmeer nog zo

Krotwoning ergens in Nederland. Een moeder met kinderen in winterkleding en een hondje wonen in een ruimte waar wasgoed boven de brandende potkachel hangt en vuil op de vloer

De in 1929 bekende wereldreiziger Dirk van der Toorn heeft van ijsblokken een iglo gebouwd op het Scheveningse strand.

zwaar dat boten de grootste moeite hebben om de oversteek te maken. Daarbij is de vorst zo diep in de grond doorgedrongen dat het ook voor bouwbedrijven nog lange tijd duurt voordat ze weer volop aan het werk kunnen.

En zo eindigt een winter die net voor de crisisjaren uitging. Gelukkig maar, want had de winter een jaar later toegeslagen, dan waren de gevolgen een stuk erger geweest.

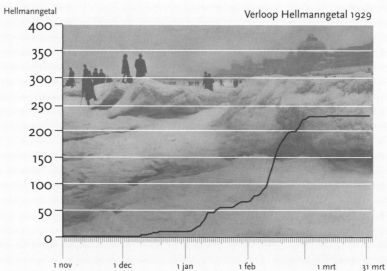

Hellmanngetal

Verloop Hellmanngetal 1929

De opbouw van het Hellmanngetal gedurende de winter van 1929. Zie voor uitleg de grafiek op blz. 17.

IJskunst door dalend water in de Waal bij Dreumel (1926).

Minister Kan (vader van de vroegere cabaretier Wim Kan) met zijn echtgenote op de schaats op de Haagsche IJsbaan.

Over het ijs van de Zuiderzee naar Urk

Reinout van den Born

Met de auto over het ijs van het IJsselmeer, van Noord-Holland naar Friesland of andersom, is een belevenis die veel mensen van wat oudere leeftijd zich nog wel kunnen herinneren, onder meer uit de winters van 1947 en 1963. In 1996 is er nog een schaatstocht tussen Enkhuizen en Stavoren geweest. Die leverde heel wat meer problemen op.

Met de auto over het ijs van Volendam naar Urk was in 1929 veel bijzonderder. Niet alleen omdat auto's in die periode nog een zeldzaamheid waren, maar ook en vooral omdat het IJsselmeer toen – met de aanleg van de Afsluitdijk was net een begin gemaakt – nog Zuiderzee heette en een getijdengebied was met eb en vloed. En zout water bevriest natuurlijk veel moeilijker dan zoet water, zoals het tegenwoordige IJsselmeer bevat.

Een paar personen hebben in de winter van 1929 de oversteek aangedurfd en het uiteindelijk ook gehaald. Bedenker van het riskante plan was ene meneer Gazendam, die in die periode dagelijks met zijn auto over het ijs van de Gouwzee van Amsterdam naar Marken reed. Er waren op het ijs gescheiden rijbanen voor schaatsenrijders, auto's en arrensleden. En de ijszeilers schoten daar lukraak tussendoor. Gazendam bedacht dat het wel de moeite waard zou zijn om met de auto over de Zuiderzee naar Urk te rijden. Niemand had dat nog geprobeerd. Hij polste een vriend voor zijn idee, maar die gaf niet thuis. In de dagen daarna bleef het plan aan hem knagen. Uiteindelijk vond hij iemand in Amsterdam bereid om op een motorfiets met zijspan achter hem aan te gaan. Toen er één schaap over de dam was, volgden er meer. Ook Gazendams vriend, die eerst niet wilde, hapte alsnog toe. Evenals iemand die toevallig van het plan hoorde. En zo vertrok een kleine expeditie over

het ijs naar Urk. Eerst ging het naar Marken, waar een jongen werd opgepikt die de groep over het ijs naar Urk zou kunnen navigeren. Daarna reden de waaghalzen naar Volendam. Tijdens dat stuk doemden de eerste problemen al op. Door de getijdenwerking van het water onder het ijs, ontstonden er spleten – van wel een meter breed – waar de auto in kon blijven steken. Een paar keer ging het bijna mis, maar door de snelheid wist de bestuurder de auto als het ware weer uit de spleten te trekken. De motorrijders waren minder fortuinlijk. Zij raakten door een oneffenheid in het ijs in een slip en vielen. Daarbij liep een van de wielen schade op. De auto moest naar het vasteland om een nieuw wiel te halen, wat twee uur kostte. Hierna keerde de motor met zijspan terug, maar de inzittenden van de auto zetten door. Moeizaam staken ze over het voortdurend werkende ijs de Zuiderzee over en ze kwamen zes uur later aan de overkant in Urk aan. Daar werden ze met ongeloof ontvangen, en

de hele bevolking liep uit. De burgemeester besloot een certificaat uit te schrijven waarop vermeld stond dat de groep-Gazendam als eerste de oversteek naar Urk vanuit Amsterdam had voltooid.

Opgelucht en tevreden keerde de groep de volgende dag terug over een ijsweg naar Enkhuizen, die veel vaker werd gebruikt. Veilig kwamen ze in Amsterdam aan.

Winter

Winter. Je ziet weer de bomen
door het bos, en dit licht
is geen licht maar inzicht:
er is niets nieuws
zonder de zon.
En toch is ook de nacht niet
uitzichtloos, zolang er sneeuw ligt
is het nooit volledig duister, nee,
er is de klaarte van een soort geloof
dat het nooit helemaal donker wordt.
Zolang er sneeuw ligt is er hoop.

Herman de Coninck, 1976

Uit: Zolang er sneeuw ligt
Uitgeverij G.A. van Oorschot, Amsterdam

Militairen lopen over het ijs van de Gouwzee van Monnikendam naar Marken. Ze mogen (tijdens de mobilisatie voorafgaande aan de Tweede Wereldoorlog) hun kerstverlof thuis vieren.

De oorlogswinters

Niet alleen figuurlijk, ook letterlijk leden we kou

Reinout van den Born

Op de winter van 1933/1934 na – met op 16 december 1933 al een Elfstedentocht – verliepen alle winters gedurende de crisisjaren in Nederland normaal tot zacht. Maar de Tweede Wereldoorlog was nog niet begonnen (op 1 september 1939 viel Duitsland Polen binnen, waarna Engeland en Frankrijk Duitsland de oorlog verklaarden) of de volgende strenge winters dienden zich aan, en nog wel drie op rij. De winters van 1940 en 1942 waren in Nederland zeer streng, de winter van 1941 was streng. Niet alleen figuurlijk werd het koud in Europa, ook letterlijk leden vele landen kou.

Sleden met proviand en post vertrekken over het ijs naar (toen nog) het eiland Marken.

Het ene vliegtuig werpt zakken meel af, het andere antraciet... De bevoorrading van Ameland verloopt door het ijs op de Waddenzee steeds moeilijker.

De eerste maanden van de Tweede Wereldoorlog is er – misschien wel door het strenge winterweer – maar weinig strijd aan het westelijke front, ondanks alle dreiging. Nederland beleeft de winter van 1940 nog als een vrij land, met het leger al wel helemaal gemobiliseerd. De eerste vorst komt halverwege december 1939, maar die houdt niet lang aan. Na een periode met dooi rond de kerst, keert de vorst net voor de jaarwisseling terug en zal dan, op een paar kleine onderbrekingen na, ongeveer anderhalve maand standhouden.

Rond 18 januari staan de kranten vol met winterberichten. *Het Vaderland* meldt trots hoe 'de gemobiliseerde weermacht de spieren staalt' door op het ijs te sporten. Hoewel dezelfde krant twee dagen later bericht dat de postboten van Harlingen naar Vlieland en Terschelling het door de zware ijsgang op de Waddenzee al bijna niet meer halen naar de overkant – in het zuidwesten van Nederland drijven volgens de krant ook 'metershoge ijsbergen' op het Haringvliet rond – is het ijs in Friesland nog niet sterk genoeg voor een Elfstedentocht. De eerste veerdiensten gaan uit de vaart, de treinen van de NS rijden onregelmatig als gevolg van wisselstoringen en de eierprijzen stijgen. Gloedvol wordt bericht hoe twee schepen op het IJsselmeer uit '60 centimeter dik' ijs worden gered. *Het Vaderland* schrijft op 20 januari 1940: 'De schoorsteen van de voormalige bakkerij De Korenschoof, in Utrecht, die door de strenge vorst is kromgetrokken en voor de omgeving een gevaar ging vormen, wordt afgebroken. Men is thans met dit gevaarlijke karwei bezig. Er moet wel met vakmanschap en beleid gewerkt worden. Ook op het Amsterdamsche vliegveld Schiphol ligt een dik pak sneeuw. De startbanen zijn er onder bedekt en om den vliegers bij het vertrek den weg te wijzen, heeft men de banen aangegeven met dennetakken, die sterk afsteken tegen het sneeuwkleed. Als een vliegtuig start, blazen de motoren een lawine van sneeuw de lucht in, hetgeen een prachtigen aanblik levert.'

De Elfstedentocht van 30 januari 1940 kent volgens het Elfstedenbestuur vijf winnaars, hier na de finish in Leeuwarden: V.l.n.r. Auke Adema uit Franeker, Sjouke Westra uit Warmenhuizen, Cor Jongert uit Alkmaar, Dirk van der Duim uit Warga en, met scheve muts, Piet Keyzer uit De Lier. In 2007 wordt bekend dat de laatste echt heeft gewonnen.

Het Haagsche Bos ziet er in de sneeuw sprookjesachtig uit (januari 1940).

Met man en macht wordt sneeuw geruimd op het spoor bij Purmerend. Foto van 5 februari 1940.

Een conducteur in Amsterdam heeft koude oren tijdens de ijzige winter van 1940.

Zelfs de zuurkool is op, hoe bestaat het?

De Elfstedentocht komt er, op 30 januari, en loopt uit op een bar avontuur. Niet alleen vriest het streng, ook waait er een harde oostenwind en in de loop van de middag gaat het sneeuwen. Vooral in het noorden van Friesland maakt de combinatie van kou, sneeuw en wind het traject van de Elfstedentocht praktisch onbegaanbaar. Van de 683 wedstrijdrijders halen er 93 Leeuwarden, van de 2716 toerrijders kunnen er niet meer dan 27 een kruisje ophalen, onder wie voor het eerst een vrouw, de vierentwintigjarige Sjoerdje Faber uit Wergea. In 1917 had een vrouw al eens de wedstrijdtocht voltooid. Vijf rijders sluiten het 'Pact van Dokkum' en worden de winnaars.

Een broer van mijn grootmoeder Aurelia Reitsma-Heidinga doet ook mee. Onderweg komt hij met een andere schaatser in aanrijding en verliest daarbij een teen. Op dat moment is hij zich echter niet van de ernst van de verwonding bewust en hij rijdt gewoon verder. Pas na terugkomst blijkt wat er aan de hand is. 'We hebben ze niet opgewacht,' herinnert mijn oma zich nog. 'Het was daarvoor veel te koud!'

Sneeuw

De winter houdt dan al twee weken lang op een barre manier
huis. Niet alleen is de vorst streng, ook sneeuwt het vaak en
intens. Het grootste deel van Nederland ligt onder een 25-40
centimeter dikke sneeuwlaag.

In de Bilt blijft het in januari op 22 dagen vriezen, de hoogste
temperatuur van de maand is slechts 3 °C. Tegen het einde van
januari doet de dooi een poging. In het zuidwestelijke deel van
het land komen de temperaturen even boven nul en regent het,
het oosten en noorden worden getroffen door een drie dagen
durende sneeuwstorm die het openbare leven lamlegt.

Het gebied ten oosten van Amsterdam, dat bekendstaat onder
de naam Waterland, raakt door massa's stuifsneeuw, die vanaf
het bevroren IJsselmeer komen aangewaaid, volkomen geïsoleerd. De dooi zet niet door, de vorst keert terug. Op 4 februari
treedt de dooi wel in. Binnen de kortste keren zijn het niet
meer sneeuw en ijs die overlast brengen, maar de massa's

dooiwater. Maar opnieuw slaat de winter toe, en tot 20 februari
vriest het.

Rivieren zijn dichtgevroren (veren worden vervangen door veer-
paden), het IJsselmeer en andere grote wateroppervlakten zijn
in gebruik voor autowegen, overal wordt geschaatst en gesleed
en ondanks de zorgen om een oorlog die ieder moment lijkt te
kunnen beginnen, beleven veel mensen ook plezier aan het
winterweer. Af en toe wordt het spannend als ijsdammen de
loop van het water onder het ijs op de grote rivieren dreigen te
blokkeren. De genie moet onder meer bij Woudrichem-
Loevestijn in actie komen om een ijsdam met een lengte van
250 meter en een hoogte van tien à twaalf meter op te ruimen.
Bij Lobith stapelt het ijs zelfs tot een hoogte van vijftien meter
op. Op de Waalkade in Nijmegen verdringen honderden mensen zich achter een houten afzetting om de ijsgang op de rivier
te bekijken. Geleidelijk neemt het gevaar voor overstromingen

Skiën vanaf de dui-
nen bij Zandvoort
(januari 1940).

Een motorrijder ploetert door de sneeuw (januari 1940).

De voedselvoorziening van (toen nog) het eiland Marken valt niet mee door het ijs en de dikke laag sneeuw op de Gouwzee. Per slee worden de voorraden op 25 januari 1940 getransporteerd.

echter af, wanneer in de tweede helft van februari de winter stukje bij beetje terrein verliest.

De winter van 1940/1941

In de winter van 1940/1941 is Nederland bezet gebied, en dat wordt uit de berichtgeving in de kranten meteen duidelijk. De dagbladen zijn propagandamachines van de bezetter geworden, met vooral aandacht voor verordeningen, verhalen over de voortgang van de strijd op de diverse fronten en verhalen over de nieuwe machthebbers in het algemeen en Adolf Hitler in het bijzonder.

Toch verschijnen er wel wat verhalen over het winterweer. Zo schrijft een weerkundige op 30 januari dat de winter van 1941, hoewel minder extreem dan die van het jaar ervoor, op dat moment toch niet heel veel minder koud is verlopen dan zijn illustere voorganger. Vaak vriest het matig tot streng en opnieuw sneeuwt het veelvuldig. In de Achterhoek is het

Als de koude noord-
ooster blaast...

De Amsterdamse
wijk De Jordaan in
de sneeuw (januari
1940).

Burgemeester Kooiman van het Noord-
Hollandse Hensbroek beweegt zich op 11
januari 1940 per prikslee door zijn dorp. De
wegen zijn te glad.

Een inspectietocht op het ijs

Ir. Damme, directeur-generaal der PTT,
heeft zich gistermiddag in eigen per-
soon op de hoogte gesteld van het postvervoer over de Gouwzee tussen
Monnikkendam en Marken, meldt *De
Tel.* De directeur-generaal trof voor
dezen inspectietocht geen fraai weer,
want er woei over de Gouwzee een
storm, die de sneeuw opjoeg en de reis
zelfs avontuurlijk maakte. Misschien
waren het juist deze weersomstandigheden, die Ir. Damme er toe brachten zich
te oriënteeren met welke moeilijkheden
het postvervoer over de Gouwzee
gepaard gaat.
Men had intusschen voorzorgsmaatregelen genomen en met twee auto's den
tocht van Monnikkendam uit aanvaard.
In den eersten wagen bevonden zich
twee chauffeurs en een postbesteller,
gewapend met schoppen, om den weg
zoo nodig vrij te maken. In den twee-
den wagen had Ir. Damme plaats geno-

men, alsmede de directeur van het post-
kantoor te Amsterdam en de inspecteur
van de PTT te Haarlem.
De voorzorgsmaatregelen waren niet
overbodig getroffen, want halverwege
bleven de auto's in een sneeuwbarrière
steken en werden zij in een minimum
van tijd door de stuifsneeuw bedolven.
De schoppen moesten te hulp komen
om de wagens uit te graven en de baan
vrij te maken. Door deze wederwaardig-
heden duurde de overtocht anderhalf
uur in plaats van eenige minuten. Wel
kan dus gezegd worden, dat de directie
van de PTT aan den lijven de perikelen
van het postvervoer over de Gouwzee
heeft ondervonden. De terugtocht
Marken-Monnikkendam verliep aan-
merkelijk vlotter.

Het Vaderland, 02-02-1940

Schaatspret op
de grachten in
Amsterdam
(5 januari 1941).

sneeuwdek rond 20 januari al een halve meter.

Het Vaderland publiceert voor de inwoners van Den Haag, waar
in de periode 15 tot 20 januari 1941 25 à 30 centimeter sneeuw
valt, onder de kop 'Houdt uw stoep sneeuwvrij' nog maar eens
artikel 19 uit de Algemeene Politieverordening. ' "Iedere hoofd-
bewoner van eenig bebouwd eigendom, iedere gebruiker van
eenig afgesloten geheel onbebouwd erf, iedere eigenaar of
beheerder van eenig onbewoond gebouwd eigendom of van
eenig ongebruikt, afgesloten onbebouwd erf, is, wanneer er
sneeuw of ijzel op de straat ligt, verplicht te zorgen, dat het
onafgesloten gedeelte zijner stoep, zoomede de kleine steenen
en de trottoirs ter breedte van ten minste een meter, voor en
rondom zijn gebouw of erf, met zand of asch worden
bestrooid." In minder ambtelijken stijl: houdt het stoepje voor
uw huis schoon, strooi wat zand of asch, ook bij uw buurman,
als hij het mocht vergeten en tast de sneeuw op aan het uiterste randje van het trottoir, dus niet op den rijweg. Dat is voor
het rijwielverkeer levensgevaarlijk!'

Skilopen

De dikke sneeuwlaag in Den Haag en omgeving nodigt rond 20
januari veel mensen ertoe uit naar het duingebied Duinrell te
komen om daar te gaan skilopen (langlaufen). Ze komen van
heinde en verre.

Opnieuw komt het tot een Elfstedentocht. Op 6 februari wordt
hij onder stralende omstandigheden gehouden. Auke Adema

uit Franeker glijdt na 9 uur en 19 minuten als eerste over de
streep. Samen met hem bereiken vijfhonderd van de zeshonderd gestarte wedstrijdrijders de finish, van de 2200 gestarte
toerrijders mogen 1400 hun kruisje na afloop meenemen, veel
meer dan het jaar ervoor. Opvallend is een bericht in de krant
van 21 februari. Terwijl het leven voor de gemiddelde
Nederlander als gevolg van de bezetting, de daarmee gepaard
gaande beperkingen en rantsoeneringen van steeds meer producten geleidelijk aan moeilijker wordt, pakt *Het Vaderland* uit
met een verhaal over 'Schaapjes-wolken', in het kader van de
'verwachting voor eigen gebruik'. De teneur van het verhaal is
dat er, als je deze 'mooiweerwolken' ziet, in het algemeen
meteorologisch maar weinig aan de hand is. Het stuk valt op,
omdat er vanwege de oorlog in de kranten maar weinig aandacht aan het weer wordt besteed.

De winter van 1941/1942

Van de drie opeenvolgende strenge winters aan het begin van
de jaren veertig zullen de mensen van toen die van 1941/1942
ongetwijfeld als de zwaarste hebben ervaren. Veel producten
kunnen alleen op de bon worden verkregen, er is gebrek aan
brandstof en door gebrek aan onderdelen functioneert ook het
openbaar steeds slechter. Met een paar korte onderbrekingen
vriest het twee en een halve maand aan een stuk.
Van 10 tot en met 27 januari vriest het in De Bilt voortdurend.
De vorst wordt steeds strenger. De twee koudste dagen zijn 26

Zeulen met kolen
in winters
Amsterdam
(februari 1941).

Straten en voet-
paden worden
vrijgemaakt van de
enorme hoeveelhe-
den sneeuw die in
de stad liggen.

en 27 januari. 's Nachts daalt het kwik dan op uitgebreide schaal tot -20 à -25 °C, Winterswijk haalt op 27 januari met -27,4 °C de laagste temperatuur van de eeuw. Veel mensen kruipen met hun jas aan in bed. Er is niet meer tegen de kou op te stoken, al helemaal niet doordat er groot gebrek aan brandstof is. Pasgeboren baby's komen vaak in een bevroren bedje terecht en lopen meer dan eens een longontsteking op. Mensen doen alles om hun kachels aan het branden te houden. Vaak staan de huizen vol met rook. Het is liever de ramen dicht en het beetje warmte dat er is binnenhouden dan frisse maar koude lucht van buiten binnenlaten. Er is sowieso gebrek aan alles. Soms gaat het gerucht dat een slachterij wat restjes vlees over heeft. Binnen de kortste keren vormt zich dan een lange rij. Onder de wachtenden ontstaat geregeld ruzie, er wordt gevochten en gescholden. Sommige mensen krijgen wat mee, anderen niets.

Defecte trams

Aan het eind van de maand is er sprake van grote weersover-last. Sneeuw dompelt het land onder in chaos, hier en daar valt meer dan 40 centimeter. Omdat lopen en fietsen vrijwel onmogelijk zijn geworden, nemen de mensen in de grote steden massaal hun toevlucht tot de tram. De rijtuigen kunnen de enorme drukte niet meer aan en gaan defecten vertonen. Steeds meer trams komen in de werkplaatsen te staan, waar ze met de weinige op dat moment beschikbare middelen weer moeten worden opgelapt.

Een verslaggever van *Het Vaderland* neemt in Den Haag een kijkje en ziet een ontstellende drukte. 'Men ondervindt hier in de centrale werkplaatsen behalve van den winter ook de directe gevolgen van de groote drukte,' schrijft hij. 'De wagens zakken namelijk zoover door hun veeren onder den last van al die samengepakte menschen, dat de beschermende kasten, die gedeeltelijk om de wielen gebouwd zijn, aan de bovenzijde door de scherpe wielflenzen worden doorgesneden. Wel een bewijs, dat de passagiers allen bij elkaar nog een aardig gewicht vertegenwoordigen, al kan men op de treeplank vaak de stelling hooren verkondigen: "Ik kan er nog wel bij, ik ben zóó mager geworden den laatsten tijd"'.

De derde Elfstedentocht op rij, op 21 januari 1942, wordt gewonnen door Sietze de Groot uit Weidum. Onder zonnige omstandigheden en bij een geleidelijk afnemende wind rondt hij de elf steden in een nieuwe recordtijd van 8 uur en 44 minuten. Maar liefst 853 van de 970 vertrokken wedstrijdrijders halen de eindstreep. Bijna 3700 van de 3862 gestarte toerrijders slagen in hun missie.

In de winter van 1942 duurt het beleg van het toenmalige Leningrad voort. Tijdens de koudste dagen van de oorlog sneuvelen enorme aantallen Russen en Duitsers. Uiteindelijk geven de Duitsers zich pas in februari 1943 over, maar deze slag betekent een ommekeer in de oorlog. Niet voor het eerst in de geschiedenis werkt de winter in het voordeel van de Russen. Ook in februari 1942 houdt het winterse in weer Nederland

aan; vooral de eerste en de derde week van de maand zijn ijzig koud. Pas halverwege maart komt er een einde aan de winter. De nood is veel mensen dan tot de lippen gestegen. Op Urk hebben slimmeriken volgens *Het Vaderland* van 11 maart 1942 een kolenmijn ontdekt waaruit het gratis delven is: 'Die mijn is in de werkhaven. Daar hebben altijd schepen gelegen om kolen te lossen en daarbij ging er wel eens wat overboord. Nu hebben de Urkers gaten in het ijs gehakt en wordt de steenkool uit de haven gevischt met schepnetten. De liefhebberij is zoo groot, dat men thans om de beurt mag visschen. Van een ieder wordt de naam genoteerd en het duurt wel eens een week voor men aan de beurt is. De politie houdt toezicht. Men mag twee uur visschen en niet meer dan vier zakken ophalen.'

Restaurants

Drie dagen later verschijnt een veelzeggend bericht in de krant. Onder de kop 'Eters in restaurant mogen niet van den weg af zichtbaar zijn' staat het volgende te lezen: 'Het is een beeld dat inspireerend gewerkt heeft op de schrijvers van tal van Sinterklaas- en Kerstverhalen: de prachtige, rijkvoorziene etalage van den banketbakker en het jongetje, dat buiten in kou en regen, zijn paarsen neus tegen de ruiten duwt en dat hongert naar het lekkers, dat is uitgestald maar dat volkomen onbereikbaar is voor hem.

Een dergelijke situatie trof men de laatsten tijd in zeker opzicht ook aan bij cafés en restaurants. Voor de breede ramen zaten

Loodgietersleed

Jaap van Suchtelen

In vorstperioden waren bevroren waterleidingen een voortdurende plaag omdat de meeste huizen geen centrale verwarming hadden en de leidingen vaak in buitenmuren waren ingemetseld, die soms niet eens een spouwmuur hadden. Bij strenge of langdurige vorst moest je er op tijd bij zijn om de leidingen af te tappen; als je te laat was moest je de leiding met een soldeerbrander ontdooien. Daarbij diende je aan de goede kant te beginnen, want als je de leiding verwarmde tussen twee ijsproppen in barstte hij door de uitzetting

van het water onherroepelijk open. In het huis van mijn jeugd, gebouwd in 1850, hadden we gedeeltelijk nog loden waterleidingpijpen, die bij bevriezing een soort uitstulping kregen maar niet direct barstten, zoals een koperen leiding. Voor het repareren van die loden pijpen hadden we een zware koperen soldeerbout, heetgestookt met een benzinebrander. Soldeertin maakten we zelf door lood en tin te mengen: lood van oude waterleidingpijpen en tin van omgesmolten tandpastatubes (die in die jaren nog van tin gemaakt waren). Omdat dat soldeertin een lager smeltpunt heeft dan het lood van de pijpen, kon je het met de hete soldeerbout in

de openingen van een loden pijp smeren zonder dat het lood van de pijp meteen smolt. Tenminste, als je enige ervaring had en de bout op de goede temperatuur was, anders vielen er gaten in de pijp en kon je opnieuw beginnen.

Collecte voor de door de Duitse bezetter opgezette Winterhulp in Amsterdam. Geven was weinig populair, maar niets geven, maakte je verdacht.

Nu het koud is buiten, worden in Lambertszwaag de stoven weer in de kerk gezet. Kerkgangers, van wie de namen op de verschillende stoven staan, houden zo warme voeten. De zoon en dochter van de koster helpen (januari 1941).

Hongerige meeuwen zoeken op 11 februari 1942 boven een dichtgesneeuwde straat in Haarlem naar voedsel.

de dames en de heeren achter nog welgevulde schalen en buiten liepen de menschen voorbij, die geen geld of geen bonnen hadden voor zoo'n maaltijd of die wellicht beiden misten, maar die in ieder geval bijna zonder onderscheid voorzien waren van een dosis honger, groot genoeg om zich ook nog eens heerlijk tegoed te doen aan de schotels, zelfs al waren ze bereid met behulp van surrogaten.

Sinds gisteren nu, behooren die beelden tot het verleden. Niet dat voortaan de voorbijgangers vriendelijk binnengenood zullen worden, verre van dat, maar de directie van het Rijkshoreca heeft meegedeeld dat men in het komende seizoen moet voorkomen dat maaltijden in café-restaurants en dergelijke op terrassen en in tuinen of voor vensters gebruikt worden, wanneer dit van den openbaren weg zichtbaar is. Verscheidene restaurants zullen dus tegen etenstijd de gordijnen moeten sluiten. Al zullen zij, die er van houden op een gezellig punt in de stad te

gaan dineeren, dat niet prettig vinden, het valt niet te ontkennen, dat de nieuwe maatregel met het oog op de huidige voedselomstandigheden, van wijs beleid getuigt.'

In de tweede helft van maart, als de winter ten einde loopt, begint het ijs te smelten. Dat levert tragische berichten op over kinderen die erdoorheen zakken en daarbij verdrinken. Terwijl de problemen in bezet Nederland groot blijven, leveren de winters van 1942/1943 en 1943/1944 nauwelijks meer winterweer op. Januari 1945 is echter opnieuw een koude maand met veel vorst. Dat, in combinatie met de honger die vooral in de grote steden in het westen van Nederland heerst, zorgt ervoor dat de winter van 1945 te boek staat als de Hongerwinter. Enkele maanden later is de oorlog voorbij.

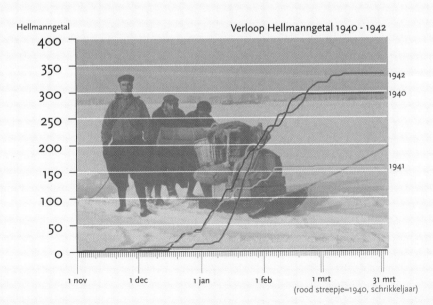

Verloop Hellmanngetal 1940 - 1942

Hellmanngetal

400
350
300
250
200
150
100
50
0

1942
1940
1941

1 nov   1 dec   1 jan   1 feb   1 mrt   31 mrt
(rood streepje=1940, schrikkeljaar)

De opbouw van het Hellmanngetal gedurende de winters van 1940-1942. Zie voor uitleg de grafiek op blz. 17.

Sneeuw

Het wit.
Onhoorbaar is
het wit. Slechts
wat getrippel
van vogelpoten
heel omzichtig
in de bange
stilte van het
wit.

Onhoorbaar ligt
het wit in de
leeggeblazen ochtend.
Ik schrijf er
geen voetstappen
in.

Roland Jooris, 1996

Uit: Met gekleurde billen zou het gelukkiger leven zijn,
250 onvergetelijke gedichten met zorg verzameld door Jan van Coillie

Uitgeverij Averbode, Kampen

Schepen liggen vast in
het kruiende ijs bij
Marken. Een foto van 28
januari 1947.

De winter van 1947

... en waarom ik het toen zo koud had

Jaap van Suchtelen

De oorlog was voorbij en Nederland was vol goede moed begonnen aan wat algemeen 'de weder-opbouw' werd genoemd. Maar in 1946 was er nog maar bitter weinig weder opgebouwd en in ieder geval woonden de meeste Nederlanders nog maar nauwelijks comfortabeler dan in de voorbije oorlogsjaren, al hadden ze beter te eten en geen gebrek meer aan brandstof. Toen kwam de winter van 1947...

Wintertafereel in Deventer: fiets- en voetgangersverkeer over het ijs, op de IJssel, nadat de schipbrug (pontonbrug) in verband met de ijsgang moest worden weggehaald.

Foto van het leven op het platteland van Wieringen in de winter van 1949. Mens en vee leven nog samen, onder een dak.

In 1947 werd ik tien. Ik kwam in de hoogste klas van de lagere school en maakte voor het eerst een buitenlandse reis – kamperen met mijn ouders in Zuid-Frankrijk, met de in dat jaar aangeschafte Brilkever (zoals die nostalgische oer-VW nu is gaan heten). Dat jaar werd er een volkstelling gehouden, waaruit bleek dat Nederland nog net geen tien miljoen inwoners had. Allemaal dingen die ik me nog goed herinner. Die legendarische koude winter van 1947 herinner ik me ook wel, maar eigenlijk heb ik het idee dat alle winters uit die tijd er flink inhakten.

Ik ben nu zestig jaar verder en ik realiseer me dat er twee oorzaken zijn waardoor die kinderwinters zo extra winters waren. Ten eerste lijken ze in mijn herinnering erger door een aantal vormen van herinneringsbedrog, veroorzaakt door de kleinere afmetingen van mijn lijf en mijn lagere leeftijd van toen. Ik werk dat uit in een apart hoofdstukje. (Zie het hoofdstuk: 'Kinderwinters'.) Dat is dus een schijneffect, niet terug te vinden in de meteogegevens.

Ten tweede kwamen de winters harder aan omdat we niet werden afgeschermd van ongerief door het technische comfort van nu. Dat is ook niet terug te vinden in de meteogegevens, maar het is wel een fysiologische werkelijkheid en heeft niet te maken met de vraag of je toen kind was of volwassene.

Winters ongerief

Ik kan daarover meepraten, want het huis waarin ik opgroeide was van 1850. Een groot en 'deftig' huis, dat wel, maar zonder enig comfort. Geen spouwmuren, geen centrale verwarming en geen beschoten dak. Na een flinke sneeuwstorm lagen op zolder overal hoopjes sneeuw die snel moesten worden opgeschept en afgevoerd, anders kwam het smeltwater door de plafonds. Dubbel glas? Ook nooit van gehoord. Ramen waren dus gigantische koudebronnen, en bovendien floot de tocht bij harde wind door de kieren van de schuiframen. Je kon 's nachts aan de binnenkant wel luiken voor de ramen doen, maar dat hielp niet echt tegen de tocht. Bij felle kou werden de kieren dus dichtgepropt met kranten en voor de kier onder de deur naar de onverwarmde gang lag een 'tochtworst'.

Mijn slaapkamer was onverwarmd, alleen als ik 's winters eens wat langer ziek lag, werd er een kacheltje neergezet. Het kon dus flink vriezen in mijn kamer en dan lag er 's morgens een laagje rijp op mijn wollen deken waar ik had liggen ademen. Ik sliep onder drie wollen dekens en kreeg ook nog een kruik mee! Omdat de waterleiding moest worden afgesloten, moest ik 's morgens in de keuken een emmer ijskoud water halen om me te wassen. Door zulke dingen werd je 'toen' meer met de winter geconfronteerd dan nu. Aan de andere kant was iedereen beter voorbereid op winters ongemak. Ik herinner me een Polygoonjournaal uit de jaren vijftig waarin je zag hoe ploegen spoorwegmannen met gasbranders de wissels vorstvrij hielden na een sneeuwstorm – maar de treinen bleven wel keurig op tijd rijden. In 2007 hebben we meegemaakt dat het KNMI een 'sneeuwalarm' afgaf toen er een paar centimeter sneeuw werd

Beeld van de gracht bij de Groenburgwal in Amsterdam tijdens een koude dag, begin maart in de winter van 1947.

De auteur van dit hoofdstuk met zijn moeder in de tuin van hun oncomfortabele huis in Eindhoven.

verwacht. Prompt werd de helft van het treinverkeer stilgelegd en niemand durfde meer op weg te gaan. De wegen waren niet alleen leeg maar ook prima berijdbaar.

Omdat mijn herinneringen aan die winters zo duidelijk verweven zijn met al dat ongerief – dat nu in een nostalgisch daglicht ook wel veel leuke kanten heeft – wil ik een paar van die herinneringen uitdiepen. U vindt ze in de kaders. Ze zijn niet echt specifiek voor dat ene jaar 1947, maar meer voor het tijdperk als geheel – de oorlogswinters en de tijd van wederopbouw daarna. De oudere lezer zal er veel in herkennen, en de jongere lezer kan tot zijn verbazing lezen dat Nederland in die tijd in sommige opzichten niet zoveel verschilde van wat we nu een derdewereldland noemen.

Die winter van 1947 dus...

Het was een extreme winter, in veel opzichten. Het vroor hard en er viel ook veel sneeuw, waardoor het verkeer en de olie- en kolenvoorziening ontwricht raakten. Misschien had het ermee te maken dat het ook een jaar van hoge zonnevlekkenactiviteit was.

De inval van de winter was plotseling en hevig, half december 1946. Het begon meteen zo hard te vriezen dat ze plannen maakten voor een Elfstedentocht al voor Kerstmis!

De winter bestond eigenlijk uit een zeer lange vorstperiode van half december tot begin maart, onderbroken door twee relatief korte perioden van dooi: de eerste tussen 25 december en 4

januari, en de tweede tussen 8 en 21 januari. In die tweede dooiperiode werd het behoorlijk warm: op 16 januari werd het in Maastricht ruim 17 °C! Maar de vorst in de perioden daartussen was zeer streng en de Elfstedencommissie werd door al die temperatuurwisselingen meermalen op het verkeerde been gezet.

Het venijn van deze winter zat vooral in de staart: vanaf eind januari tot half maart vroor het weer en hard ook. Zo werden op het weerstation Eelde tussen 22 januari en 24 februari maar liefst 34 ijsdagen (een dag waarop de temperatuur onder nul blijft) in een onafgebroken reeks geregistreerd. In De Bilt waren dat er 21, tussen 4 en 24 februari. In totaal telde De Bilt die winter 46 ijsdagen in drie maanden!

Eind februari en begin maart viel er veel sneeuw, die met al die ijsdagen niet wegdooide en door de harde wind tot sneeuwduinen werd opgehoopt. Het wegverkeer werd hierdoor ontwricht, en vooral in het noorden en oosten raakten enkele dorpen dagenlang geïsoleerd. Tussen Alkmaar en Hoorn sneeuwde zelfs een hele trein in, die later met moeite door een werklocomotief met sneeuwschuiver bereikt kon worden.

Ook de rivieren en het IJsselmeer waren al vanaf begin januari dichtgevroren en de binnenscheepvaart kwam wekenlang stil te liggen. De temperatuur van het Noordzeewater was op sommige plaatsen op de bodem tot -2 °C gedaald. Langs onze kust lagen eindeloze ijsvlakten en op 23 februari werden er op de Waddenzee ijsbergen van zes meter hoog gezien. Op Ameland

IJsbergen op het strand van Scheveningen.

IJsbergen op het strand van Scheveningen

mevrouw Th. de Jong

't Was een Zondag in maart 1947, koud, maar heel lekker weer. We staan hier met onze zoon op Scheveningen voor het Kurhaus tussen een grote massa ijsschotsen! 't Was druk en daar had een fotograaf van geprofiteerd om deze leuke foto te maken van ons drieën. Inderdaad, op deze zeer koude winter volgde een ik mag wel zeggen heel warme zomer. Tegenwoordig zijn de winters niet meer zo bar en boos.

Elfstedentocht 1947. Winnaar van de Elfstedentocht 1947 Joop Bosman uit Breukelen met krans omringd door pers en publiek bij de finish op de Bonkevaart. Joop Bosman zou later gediskwalificeerd worden, Leeuwarden 8 februari 1947.

werden de ijsschotsen tot tien meter hoog opgestuwd. In heel Europa was het ongewoon koud: in Oostenrijk vroor het 36 °C, in Berlijn 32 °C. Tientallen doden vielen door bevriezing. Engeland meldde de koudste winter sinds 1894.

Door al dat ongerief werd er reikhalzend uitgekeken naar het eind van de winter. Maar toen eindelijk, halverwege maart, de dooi inviel, gaf dat weer nieuwe ellende: door alle sneeuw die steeds maar was blijven liggen, kwam zoveel smeltwater vrij dat de Achterhoek en de Betuwe last kregen van overstromingen. (Na deze extreme winter volgde een al even extreme zomer. In mei lag de temperatuur in het hele land ruim boven normaal en op 27 juni werd in de Bilt het temperatuurrecord van de eeuw gevestigd: 36,8 °C. De hele zomer, die tot diep in september duurde, telde maar liefst 64 zomerse dagen met maxima boven de 25 °C. Maar dit boek gaat over winters...)

Kolenschaarste

Een gevolg van de onverwacht ingevallen strenge vorst was dat in heel Europa de kolen- en olievoorziening vastliep. Begin januari vroren de rivieren dicht en op zeker moment zaten er op de Nederlandse rivieren zo'n vijfhonderd vrachtschepen met kolen in het ijs vast! De voorraden waren niet op zo'n onverwachte koudegolf berekend. In Duitsland moest driekwart van de industrie tijdelijk dicht. Hoewel de dooiperiode tussen 8 en 21 januari wat soelaas bracht, waren de kolenvoorraden bij de nieuwe vorstinval na 21 januari nog steeds te klein. De

Limburgse mijnwerkers werden opgeroepen om op zondag 2 februari vrijwillig een extra dag te werken – de bisschop van Roermond gaf dispensatie voor deze zondagsarbeid! Bovendien hielpen militairen in de mijnen bij het ondergrondse transport van de kolen. Er werd die dag 25.000 ton extra kolen gedolven.

De Elfstedentocht van 1947

Als ergens de uitdrukking 'ijs en weder dienende' van toepassing is, dan wel bij de organisatie van de Friese Elfstedentocht. Dat hebben ze in 1947 geweten! Aanvankelijk was deze Elfstedentocht, de negende, vastgesteld op 9 januari, maar op 8 januari werd hij weer afgelast omdat de dooi onverwacht snel was ingevallen en er te veel wakken waren ontstaan. Na 21 januari werd een aantal keren een nieuwe datum vastgesteld en weer herroepen, totdat uiteindelijk de datum van 9 februari standhield, ondanks waarschuwingen van het KNMI dat het wel eens moeilijk kon worden door sneeuwstormen. Moeilijk werd het inderdaad. Grote stukken van het traject waren door sneeuwophoping onbegaanbaar. Er deden zo'n driehonderd wedstrijdrijders en achttienhonderd toerrijders mee; van de toerrijders volbrachten er maar 270 de tocht! Een journalist meldde dat de Harmoniezaal bij de finish in Leeuwarden, die als EHBO-post was ingericht, wel een veldhospitaal leek: veel rijders hadden ernstige bevriezingsverschijnselen aan tenen, vingers en ogen.

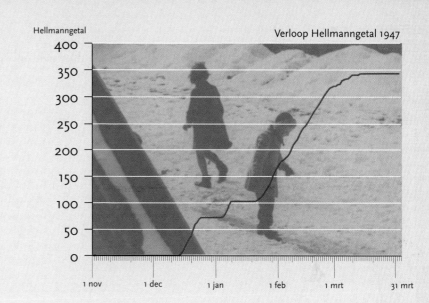

De opbouw van het
Hellmanngetal
gedurende de
winter van 1947.
Zie voor uitleg de
grafiek op blz. 17.

Hellmanngetal

Verloop Hellmanngetal 1947

400
350
300
250
200
150
100
50
0

1 nov   1 dec   1 jan   1 feb   1 mrt   31 mrt

Sneeuwoverlast in Volendam tijdens de winter van 1947. Een harde wind van het IJsselmeer heeft de sneeuw in de straten op grote hopen gewaaid.

De bewoners van dit huis in Volendam kijken enigszins bezorgd toe hoe hun huis tijdens de winter van 1947 steeds meer door de sneeuw wordt bedreigd.

De wedstrijd zelf verliep volgens de krantenverslagen 'rommelig'. De combinatie van het barre weer en het relatief kleine aantal deelnemers, zeker tegen het einde, zorgde ervoor dat kleine geïsoleerde groepjes rijders moeizaam langs eenzame trajecten voortworstelden. Achteraf werden door wedstrijdrijders onderling beschuldigingen geuit dat veel van hen op de moeilijke stukken tegen de reglementen zouden hebben gehandeld door 'opgelegd' te rijden, dat wil zeggen in tandem, waarbij de achterste rijder de op de rug gehouden handen van de voorste vasthoudt. En op de onbegaanbare stukken zouden rijders geholpen zijn door al te enthousiaste omstanders, die hen er met karren of fietsen overheen brachten.

Onder de beschuldigde rijders waren de eerste vier die bij de finish aankwamen. Joop Bosman was nummer één en hij werd in eerste instantie dan ook tot winnaar uitgeroepen. Wegens de vele protesten wilde de Elfstedencommissie echter geen klassement uitbrengen voordat alles onderzocht zou zijn. Het zou uiteindelijk nog ruim een maand duren voordat dat gebeurd was. Daarbij werden de oorspronkelijke eerste vier gedeclasseerd (ze kregen wel hun Elfstedenkruisje), zodat de als vijfde binnengekomen Jan van der Hoorn uiteindelijk tot winnaar werd uitgeroepen.

Nog maanden bleef deze affaire rommelen en men sprak in verband met de vele deklasseringen en zelfs diskwalificaties over de 'Elfstedenzuivering van 1947'. Een probleem daarbij was dat op de meeste trajecten te weinig controleurs waren

gestationeerd, zodat veel van de beschuldigingen een verklikkarakter hadden. En de Elfstedentocht van 1947 houdt de gemoederen nog altijd bezig: in 2007 is in het Eerste Friese Schaatsmuseum een reünie van voormalige rijders gehouden, precies zestig jaar na de tocht!

Hongerig vogeltje

Tot slot nog een krantenberichtje dat laat zien dat ook de dieren het moeilijk hadden tijdens die winter van 1947. Het gaat over een roodborstje, een soort waarvan ik op school leerde dat het zo vrijpostig was om in gevallen van nijpende honger tegen het raam te tikken. Ik citeer:

'Een mooi verhaal over de hongerende dieren komt uit Oostermeer, waar in de winter van 1947 het volgende gebeurde. Een boer had zoals gewoonlijk zijn klompen buiten naast de deur staan. Toen het op een avond begon te sneeuwen haalde de man de klompen naar binnen. Toen ontdekte hij opeens een klein Roodborstje in zijn ene klomp! Het vogeltje was blijkbaar in de klomp gaan schuilen en slapen. Het beestje kreeg van de boer wat eten en drinken en vond dat blijkbaar heel gewoon. De volgende morgen werd het vogeltje weer in de tuin gezet. Maar wat dacht je... dat buitenkansje liet dit Roodborstje zich niet ontglippen en de daaropvolgende avond zat het alweer in de klomp van de boer! Dit heeft hij zo een paar weken volgehouden.'

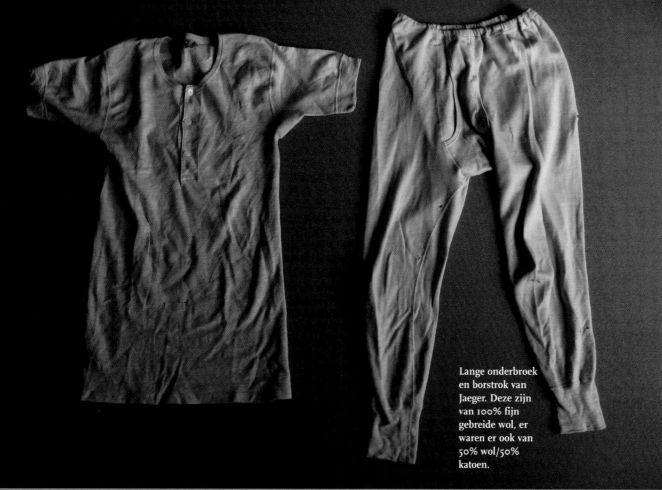

Lange onderbroek en borstrok van Jaeger. Deze zijn van 100% fijn gebreide wol, er waren er ook van 50% wol/50% katoen.

Vier manieren om het hoofd warm te houden.

Jaeger en het grote breien

In 1947 hadden de meeste mensen geen auto, dus moest je vaak op de fiets of lopend ergens heen. Als het flink vroor moest je je goed inpakken. Tot de standaarduitrusting van een schoolkind behoorden een bivakmuts, gebreide wollen wanten, een dikke gebreide wollen das, oorkleppen (als je geen bivakmuts op wou omdat dat zo stom stond), dikke gebreide wollen sokken, wollen kniestukken en wollen ondergoed (voor over je katoenen ondergoed, want direct op je huid kriebelde dat zo onprettig). Het was trouwens heel gewoon om jaegeronderbroeken (honderd procent wol of half wol, half katoen) tot op je enkels te dragen als het koud was. Ook in huis was dat niet te warm, want in de meeste huiskamers werd de temperatuur op 18 °C gehouden en mijn huiswerk maakte ik vaak in een kamer waar het maar 12 tot 15 °C was.

Al die wollen spullen moesten 's zomers goed ingepakt worden opgeborgen, met mottenballen ertussen tegen de motten. Toch bleken er bij het weer uitpakken vaak gaten ingevreten te zijn. Oma's en moeders waren dan ook voortdurend in de weer met het breien van nieuwe wanten, bivakmutsen en sokken, die je dan met Sinterklaas weer als cadeau in je schoen kon verwachten. In de oorlogsjaren werd de wol van oude of door motten vernielde breisels vaak hergebruikt. Als kind hielp ik vaak bij het uithalen van oude truien of sokken (een lievelingswerkje voor een zesjarige!) en met het op twee vooruit gestoken handen ophouden van strengen gewassen wol, die mijn oma of moeder weer tot nieuwe bollen opwikkelde.

Kinderen op school warmen hun handen bij de kachel. Buiten (en ook binnen) is het ijzig koud.

De koude start (of niet-start)

De Volkswagen Kever was verkrijgbaar in de kleuren zwart, kastanjebruin en mosgroen, maar kiezen was er niet bij: je was al blij als je er een kon kopen. Wij kregen een groene, van een van de eerste importen. Fantastisch, die VW! Hij reed wel tachtig op de weg tussen Eindhoven en Den Bosch, toen nog tweebaans met kinderkopjes. Alleen kreeg je de motor in die koude winter van 1947 vaak moeilijk aan de praat. Te lage accuspanning, te dikke olie, het was altijd lang zwoegen. Soms haalde mijn vader de accu eruit om die 's nachts bij de haard op te warmen.

De 'koude start' was toen voor de meeste automobilisten een hot item, en onderwerp van veel nuttige tips in bijvoorbeeld de *Autokampioen*. Een automatische choke zat nog niet op alle auto's en zo wel, dan bleek hij vaak niet te werken.

Op koude winterochtenden zag je op straat dan ook vaak auto's hortend voorbij hobbelen, aangeduwd door een hijgend groepje te hulp geroepen voorbijgangers. Mijn vader bedacht dat het zou helpen als je de aangezogen lucht eerst elektrisch zou voorverwarmen. Hij haalde zijn *Hütte (des Ingenieurs Taschen-buch)* erbij en zocht op wat voor koperbuis hij op de aanzuigtuit

van de carburator moest schuiven om de lucht op te warmen, en hoeveel weerstandsdraad hij daarop moest wikkelen om met zes volt(!) de lucht flink warmer te krijgen. Ik was erg onder de indruk, maar helaas, er moest zoveel vermogen in die voorverwarming dat de startmotor nog langzamer draaide. Geen succes dus. Beter werkte het als je de avond tevoren een elektrische kookplaat onder de motor schoof en de hele nacht liet branden. Er ging dan ook nog een oude deken over de motor. Als het buiten vijftien graden vroor (geen uitzondering in die winter), was dit de enige manier om 's morgens de motor te kunnen starten.

't Huis geïsoleerd,

– een nieuwe cv-ketel –

Nu de winters nog!

haiku van Masharo Jasuchi

**Schoorsteenvegers aan het werk. Dit zijn
Antoine en Marie-Louise, een bekend
schoorsteenvegersechtpaar in Brussel (1961).
In veel landen dragen schoorsteenvegers een
traditioneel tenue met hoge hoed.**

Kleumen en stoken

Waarom warm worden en blijven een hot item was vroeger

Jaap van Suchtelen

Een van de verschillen tussen de 'winters van toen' en die van nu zit hem in het (toen) voortdurend bezig zijn met wat in modern jargon het 'stookgebeuren' heet. Steeds moest je opletten of het niet te warm of te koud was en dat 'thermostaatje spelen' gaf veel werk: slepen met kolenkitten, legen van asladen, draaien aan allerlei kranen, het aan- en uittrekken van truien en een heleboel andere dingen die nu niet meer bij je opkomen.

Lekker warm bij de kachel!

De vraag 'hoe krijg ik het in huis behaaglijk warm' is tegenwoordig een non-issue. Haast alle huizen hebben nu een gasgestookte cv-ketel en de temperatuur wordt in het hele huis, vaak zelfs inclusief de garage, thermostatisch geregeld – volgens een computergestuurd programma dat per uur en per dag kan worden ingesteld, dat rekening houdt met buitentemperatuur enzovoort. We hoeven er helemaal niet over na te denken hoe we het warm krijgen en dat doen we dan ook niet. Een keer per jaar valt de gasrekening in de bus en dan pas merken we of we veel of weinig gestookt hebben in de afgelopen winter.

Vroeger was dat echt wel anders. In vorige eeuwen hebben we op stookgebied nogal wat verschillende perioden gekend. Achtereenvolgens stookten we met hout en/of turf, met kolen, met olie en met gas. Ook de techniek evolueerde. Heel lang geleden werd een houtvuur gewoon als open vuur onderhouden onder een schouw of in een open haard. Trouwens, tot na 1945 deden ze

dat in sommige oude boerderijen nog steeds. Later gebruikten ze kachels, die ook een hele technische evolutie doormaakten. Ook bij de kolenstook was dat zo – kolenhaarden waren beter te regelen dan de oude kachels, een kolengestookte cv-ketel maakte het nog makkelijker, maar je moest ook dan nog wel steeds zelf de temperatuur op peil houden door de radiatorkranen te bedienen. Daarna kwam weer het oliestooktijdperk – dat duurde eigenlijk maar een paar decennia, maar ook dat ging van individuele oliekachels per kamer via oliebranders die in de oude kolen-cv-ketels werden ingebouwd naar modernere gereguleerde olie-cv-ketels. Toen het aardgas zijn intrede deed was oorspronkelijk de 'gevelkachel' populair – ook daar aparte kachels, een of meer per kamer, en al dan niet met een thermostaat geregeld. Daar kun je een heel boek aan wijden, maar voor een hoofdstuk is dat te lang – daarom pik ik er een onderdeel uit waarmee de huidige 'grootoudergeneratie' te maken heeft gehad: de kolenstook.

Tijdens de jaren vijftig gaan steeds meer huishoudens over van het stoken op kolen naar centrale verwarming. Het gezin rond de kachel wordt dan ook meer en meer het gezin rond de radiator.

Kolenstook

In de jaren vijftig en daarvoor werd er verwarmd met steenkool. Daar zat een hele infrastructuur aan vast. Dat begon met de kolenmijnen. Nederland had er vier, in Limburg, een distributiesysteem, vervoer per trein en binnenvaart, en een netwerk van verkooppunten, dat wil zeggen de kolenboeren. Dan waren er kachels, haarden en cv-installaties: ijzergieterijen maakten haarden en kachels, onder meer Etna, Dru, Jaarsma en Beckers. Een netwerk van speciaalzaken verkocht ze, plus alle hulpmiddelen zoals kachelpijpen, kachelpoets (Zebra), kachelkit, micaruitjes en reserveonderdelen. En dan moesten natuurlijk de schoorsteenkanalen jaarlijks worden gereinigd, waarvoor een leger aan schoorsteenvegers klaarstond. Wij deden dat zelf: mijn vader klom langs een ladder naar de nok van het dak. Al met al waren er in Nederland heel wat arbeidsplaatsen met de steenkool gemoeid.

Huizen uit die tijd dragen ook zichtbare sporen van de kolen-

Ondergronds vervoer van steenkool in de staatsmijn Maurits. Deze minitreintjes brachten de kolen van de delfplaats naar de mijnschacht, waar ze naar de oppervlakte werden gebracht.

Bovengronds vervoer van steenkool bij de staatsmijnen.

stook. Elke verwarmde kamer moest zijn eigen schoorsteenafvoer hebben, want meer dan één kachel op hetzelfde afvoerkanaal geeft problemen. Bij hoge huizen met meerdere verdiepingen lopen er op de hogere verdiepingen dus veel kanalen naar het dak, wat ruimte kost. Op de daken had je schoorstenen met een heleboel pijpen. Verder had je opslagruimte nodig voor al die kolen, meestal grote, gemetselde bakken, in een ruimte die gegarandeerd onder het zwarte stof kwam te zitten zodat je daar verder weinig aan had. Bij ons stonden daar ook onze fietsen, met op elk zadel een lapje tegen het stof.

Stoken deed je in haarden, kachels, in vele maten en soorten, en fornuizen, met een grote kookplaat, voor de keuken. Ook waren er kachelsoorten met een kleinere kookplaat, zoals de bekende plattebuiskachel. Haarden waren in technisch opzicht het meest geëvolueerd: ze waren bedoeld om min of meer permanent gestookt te worden, konden 's nachts gemakkelijk aan worden gehouden en hadden een inwendig doorstroomsysteem

Lange kolentreinen verspreiden dagelijks wagonladingen kolen van de Limburgse mijnen naar distributiecentra door het hele land.

Aanvoer van kolen per zolderschuit in Amsterdam, jaren dertig.

waarbij een flinke voorraad kolen in de kachel kon zonder meteen op hoge temperatuur te komen, terwijl slechts een klein
deel van de kolen in de vuurhaard op een rooster brandde.
Daardoor vergden ze minder aandacht dan een gewone kachel,
waarin je eigenlijk maar één ruimte had en waarbij de kolen die
je erin gooide meteen in de vuurhaard lagen, zodat je voortdurend kleine beetjes moest bijvullen om een continue warmteaf-
gifte te krijgen. Een kachel kon je daardoor 's nachts moeilijker
aan houden. Meestal liet je hem 's avonds uitgaan om hem
's morgens weer aan te maken.

Ook toen bestond al de centrale verwarming, gestookt met
kolen, waarvoor dan meestal cokes of eierkolen werden
gebruikt. In vergelijking met moderne aardgasgestookte cv-
installaties waren de kolengestookte cv-ketels monsterlijk groot
en lomp. Meestal stonden ze opgesteld in een aparte kelder of
bijkeuken waar ook de kolen waren opgeslagen. Maar het was
luxe in die tijd; voor 'gewone' huizen was het te duur.

Het dooit buiten. Als iedereen thuis is,
gaan de schoenen voor de haard om weer
te drogen. De schoenlepel in de schoen
zorgt ervoor dat de vorm in tact blijft.

Een Duits voetenwarmertje.

Bij de kachel is het warm! ... en vaak was
het ook alleen maar daar warm. Hier
wordt er ook nog een pannetje soep op
warm gemaakt. In de winters van toen
was de kachel vaak letterlijk het middel-
punt van het huis, omdat het alleen maar
in de nabije omgeving behaaglijk warm
was.

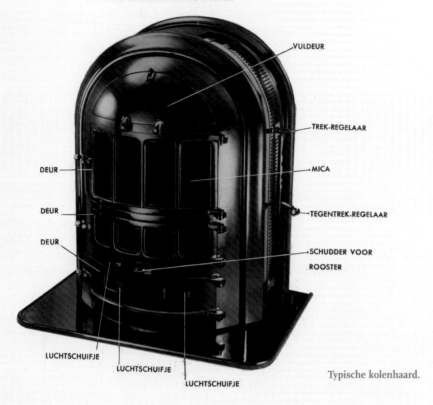

VOORZIJDE HAARDKACHEL

VULDEUR

TREK-REGELAAR

DEUR

MICA

DEUR

TEGENTREK-REGELAAR

DEUR

SCHUDDER VOOR

ROOSTER

LUCHTSCHUIFJE

LUCHTSCHUIFJE

LUCHTSCHUIFJE

Typische kolenhaard.

Kolenhandel in Amsterdam in 1921. Met paard en wagen of zelfs handkarren worden de zware zakken in de stad gedistribueerd.

Bouw van een haard

De kolenhaarden waren gietijzeren bakbeesten van zo'n vijftig kilo, glimmend zwart gepoetst en voorzien van deuren met micaruitjes waardoor je het vuur kon zien branden. Bovenop zat een klep die open kon om kolen bij te vullen, en onderin een asla die je eens per dag moest legen en die je er via een onderdeur uit kon halen. Het vuur brandde op een gietijzeren rooster, van een speciale hittebestendige legering, dat je van buitenaf met een handvat heen en weer kon schudden. Zo kon de as naar beneden in de asla vallen, terwijl de nog niet verbrande kolen er bovenop bleven liggen. Door het schudden en het wegvallen van de as kreeg het vuur weer meer luchttoevoer en ging het feller branden. Verder kon je voor het regelen van het vuur de luchtschuiven aan de voorkant en in de schoorsteen gebruiken.

De meeste kolenhaarden waren voorzien van een inwendig systeem van luchtkanalen waarmee de lucht uit de kamer werd aangezogen, verhit en aan de bovenkant van de haard weer uitgeblazen, zodat de warmte behalve door straling ook door convectie, d.w.z. circulerende warme lucht, werd verspreid. Gewone kachels hadden zo'n systeem niet, maar waren vaak op de schoorsteen aangesloten met een langere pijp, die door zijn grote oppervlakte ook een convectie-effect gaf.

Onderhoud

's Zomers werden de haarden en kachels meestal van de schoorsteen afgehaald, om roesten te voorkomen. Ook werden ze 's zomers tegen het roesten wel volgepropt met oude kranten. Begin oktober sloot men de kachels weer aan. De krantenproppen gingen er dan uit en de hele haard werd inwendig gecontroleerd op lekken. Zo'n haard zat namelijk tamelijk ingewikkeld in elkaar, met inwendige kanalen waardoor lucht uit de kamer werd verwarmd. Die lucht werd onderaan aangezogen en boven weer uitgeblazen. Er mocht natuurlijk geen open ver-

Het verplaatsen van een haard

Deze schoorsteenvegers hebben zojuist de schoorsteen geveegd, de dikke laag roet en as van het vorige stookseizoen is nu weer van de binnenkant van het rookkanaal verwijderd. Nadat de 'trek' van de schoorsteen is gecontroleerd door een prop krantenpapier in het gat te verbranden, sluiten ze de haard weer aan op het schoorsteengat. Die weegt minstens 50 kilo en de afvoerpijp moet met millimeter-precisie in het gat worden gemikt. Door met twee man, vierhandig en met de koppen tegen elkaar, te tillen is dit goed te doen.

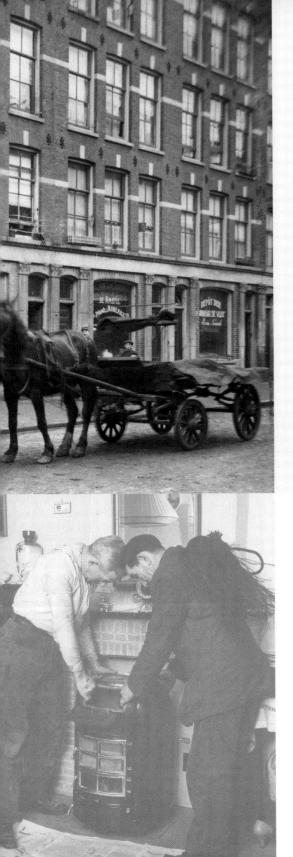

binding zijn tussen het inwendige van de haard waar het vuur brandde en die convectiekanalen, waardoor rook en eventueel giftige kolendamp, koolmonoxide, in de kamer zouden kunnen komen. Omdat het onmogelijk was zo'n haard met al die inwendige kanalen als een enkel gietstuk uit te voeren, was hij opgebouwd uit verschillende gietstukken die met bouten aan elkaar geschroefd waren, waarbij de naden werden afgedicht met 'kachelkit', een pasta gemaakt van chamotteklei en een bindmiddel, die bij verhitting tot een vuurvaste koek verhardde. Gedurende een stookseizoen werden die verbindingsnaden door het vele opwarmen en afkoelen behoorlijk belast, zodat stukken kit konden losbreken, schroefkoppen afbreken en dergelijke. Mijn vader was begin oktober een heel weekend bezig de haarden te demonteren en waar nodig met verse kit opnieuw af te dichten. Bij de kachelsmid werd een voorraad kachelkit, kachelpoets en reservebouten en moeren gehaald, en zo nodig micavelletjes voor de vervanging van kapotte ruitjes. Bij de demontage van de onderdelen braken steevast bouten af die door de roest en de uitgeharde kit muurvast waren komen te zitten. Dan moest er dus uitgeboord, getapt en gevijld worden om de zaak weer in elkaar te krijgen.

Stooktechniek

Behalve kolen had je aanmaakhout nodig om het kolenvuur aan het branden te krijgen: een lucifer bij de kolen houden werkte niet. Aanmaken betekende eerst een houtvuurtje maken met kranten, dennenappels of aanmaakhout. Als dat eenmaal goed brandde, kon je via de vulklep boven in de haard kolen bij schudden. De kolen stonden in een kolenkit naast de haard. Om de warmte te regelen, had je een paar mogelijkheden: ten eerste kon je de luchttoevoer regelen met een verstelbare luchtklep of schuif aan de voorkant en een tweede klep in de schoorsteen. Ook kon je schudden aan het rooster, waardoor de aslaag, die onder de brandende kolen steeds dikker werd, naar beneden dwarrelde en in de aslade terechtkwam, zodat de aangevoerde lucht de kolen directer kon bereiken en het vuur harder ging branden. Als je niet schudde aan het rooster en de luchtaanvoerklep op een kleine kier zette, kon je het vuur langzaam laten smeulen zodat er weinig kolen werden verbruikt maar ook weinig warmte werd afgegeven: dat was de nachtstand. Om de haard of kachel 's nachts te laten doorbranden kon je ook briketten gebruiken, net als eierkolen gemaakt van kolenstof en een bindmiddel en ter grootte van een klein baksteentje, die speciaal waren gemaakt om door te smeulen. Dat was goedkoper dan met kolen. Maar als het niet erg koud was kon je ook 's nachts de haard laten uitgaan; je moest hem dan alleen 's morgens weer met hout aanmaken.
Omdat je geen thermostaatregeling op een kachel of haard had, moest je steeds opletten en zo nodig bijregelen, schudden aan het rooster en kolen bijvullen. Je was als het ware zelf de thermostaat. Omdat je er steeds zo mee bezig was, net als met de hele verdere rompslomp van het stookgebeuren, zoals bestellen van kolen, onderhoud en reparatie van haarden, vergde het verwarmen van het huis veel meer aandacht dan nu.

Marktkoopman met kachels. Op de grond een assortiment schudroosters. Die gingen vaak kapot en dan was het dus zaak een passend exemplaar te vinden. Elk merk had zijn eigen maat en er waren heel veel merken.

In de meeste huizen werd maar in een of enkele kamers gestookt (waarbij meestal een temperatuur van 18 °C tot 20 °C werd aangehouden, lager dan nu), verder was het huis kouder. Wilde je in een andere kamer zitten, dan deed je een trui aan. In mijn herinnering werd er veel van kleding gewisseld, ook binnenshuis.

Kolen

Aan het eind van de zomer bestelde je bij de kolenboer een voorraad voor de hele winter, ik meen bij ons 15 à 20 'mud' = hectoliter, zo'n 75 kilo, bij elkaar. Je moest daarvoor dus ook opslagruimte hebben. Wij hadden een grote, gemetselde bak van een paar kubieke meter in de bijkeuken, met een houten klep erop en nog een even grote bak tegen de buitenmuur. Soms werden er nog wat jutezakken in de kelder gezet. In de oorlogsjaren, toen de kolen gerantsoeneerd ofwel 'op de bon' waren, kwam de kolenboer nog met paard en wagen bij ons

langs en ik was als kind geïmponeerd door de sterke mannen die met een volle mud-zak op hun rug af en aan liepen en ze met een handige zwaai in de kolenbakken leegkieperden. De deur tussen de bijkeuken en de keuken werd angstvallig dichtgehouden, en de hele bijkeuken zat onder het kolenstof als de bak weer vol zat.

Je had verschillende soorten kolen. De beste soort was antraciet, die lang bleef branden en relatief weinig rook en as gaf. Je kon antraciet krijgen in verschillende afmetingen, geschikt voor verschillende haarden, wat verband hield met de wijdte van de roosters waarop het vuur brandde. Dan had je eierkolen, grote ovale geperste pillen gemaakt van kolenstof en een bindmiddel. Eierkolen waren goedkoper maar gaven meer stof en as, en het was moeilijker om de haard te regelen. Ten slotte had je cokes: kolen waaruit door voorverhitting de vluchtige bestanddelen verdreven waren en die daardoor een poreuze structuur had-

Naarmate de winter van 1956 langer duurt, wordt de kolenaanvoer nijpender. Hier staan mensen in een lange rij om toch iets te bemachtigen.

Een kolendrager in Amsterdam.

den die voornamelijk uit koolstof bestond. Met cokes kreeg je een heter vuur, waardoor je gemakkelijk de roosters kon oververhitten en kapot stoken; het werd voornamelijk gebruikt voor het stoken van cv-ketels.

Stof en as

Stofoverlast was het onvermijdelijke bijeffect van kolen stoken. Een brandende haard moest een paar keer per dag worden bijgevuld, een kachel veel vaker. Daarvoor had je een kolenkit bij de kachel staan waar een kilo of tien in kon. Toen ik wat groter was, was het mijn klus om te zorgen dat die kitten op tijd werden bijgevuld, en om de asladen te legen. Het vullen van de kitten, met een speciale kolenschop, het overschudden in de haard en het gedoe met de asladen, het ging allemaal gepaard met wolken zwart en grijs stof. De truc: bij het hanteren van kolenschop, kolenkit en asla zo langzaam mogelijk bewegen. De as verdween meestal in de afvalemmer, maar werd soms

nuttig gebruikt. Bij gladheid, ijzel of vastgevroren sneeuw was het in veel gemeenten verplicht om de trottoirs voor het eigen huis begaanbaar te houden. Behalve zout en zand werd hiervoor vaak de inhoud van de asla gebruikt. Bij invallende dooi veranderden de trottoirs dan in een grijze modderbrij, zodat een goede kokosmat bij de voordeur hard nodig was.
Eind jaren vijftig stookte ik in mijn studentenkamer ook een kolenkacheltje. Ik sleepte daarvoor regelmatig een voorraad vijf-kilozakken antraciet, met de suggestieve naam 'Stuiveniet', mijn twee trappen op. Toch was mijn kamer 's winters merkbaar stoffiger dan 's zomers.
In die jaren bestond in heel Nederland het vaste voorjaarsritueel van de Grote Schoonmaak. Het zou me niet verbazen als die schoonmaak vooral te maken had met de kolen-en-asstoflaag van de afgelopen winter.
Voor wie meer wil weten over het stoken in de winters van toen zijn er een paar interessante websites. (Zie blz. 142.)

Het regelmatig vullen van de kolenkitten was een traditioneel werkje voor menig zoonlief of dochterlief uit het gezin.

Kolen, op zolderschuiten aangevoerd, worden overgeschept in jutezakken voor verdere distributie door de kolenboer. Een zak bevat een mud kolen. Een mud is eigenlijk een inhoudsmaat (= 1 hl = 100 liter); een mud kolen weegt ongeveer 75 kilo.

Winter

De sterren wintertintelen

en de maan

doorschijnt de melkwegnacht.

Het kraakt van sneeuw op de aarde

waar ik ga,

een nieteling, een adem wit,

een ademdamp van liefde en poëzie.

Ida Gerhardt, 1961

Uit: De Hovenier, Van Gorcum, Assen

Vooral in Midden-Nederland valt een dikke
laag sneeuw. Een vrouw wandelt door het
verstilde land.

De winter van 1956

Hevige sneeuwval en ander ongemak

Harry Otten

De winters die men meemaakt in de jeugd, maken de diepste indruk. Voor mij geldt dat voor de winter van 1956. Ik was toen zeven, kocht mijn eerste thermometer en begon te temperatuur te noteren. Op de televisie, die nog niet zo lang bestond, was de weerman te zien. In Breda, waar ik woonde, was zowel de Nederlandse als de Belgische tv te ontvangen. Dat betekende dat ik ook Armand Pien, de Vlaamse weerman, kon zien.

Armand Pien en Harry Otten op het KMI in Ukkel (B), in juni 1985.

Lijnenspel

Als je de Franstalige Belgische tv wilde bekijken, moest je met een stekker in de muur overschakelen op 819 lijnen. Ook toen waren de Belgen al door en door verdeeld. De Vlamingen gingen net als de Nederlanders naar 625 lijnen, terwijl in Wallonië voor het Franse systeem met 819 lijnen gekozen werd. Of ze daardoor ook verfijnder waren dan de Nederlanders valt te bezien, net zoals het omgekeerde niet gezegd kan worden van de Amerikanen, die het nog altijd met ongeveer 100 lijnen minder dan wij doen.

Idool

De Belgische weerman Armand Pien werd mijn grote idool en in mijn latere beroepsleven heb ik hem een aantal keren mogen ontmoeten, zowel in Nederland als in België. Hij was zelfs bij een van de jubilea van Meteo Consult.
Ook in Nederland waren er weermannen (vrouwen ontbraken

in de wereld van de meteorologie) op de buis. Cor van der Ham, mijn latere leraar op het KNMI, en Joop den Tonkelaar presenteerden het weer op weerkaarten die ze met lippenstift (want die kraste niet) vol tekenden. Zelf mochten ze niet in beeld komen. Hoe anders is dat tegenwoordig!

Winterbegin zacht, vorstinval eind januari

Tijdens de eerste weken van januari stelde de winter niet veel voor. Aan het eind van de maand begon zich echter boven het noorden en oosten van Europa een groot reservoir met echte diepvrieskou af te tekenen. In Rusland en het noorden van Europa kwamen temperaturen voor van beneden -30 °C. Die koude lucht begon naar het westen te stromen. Het grootste deel van Nederland kwam daardoor in de loop van 30 januari in de greep van de vorst. Het zorgde meteen voor grote problemen. Volgens *Dagblad de Stem* uit Breda van 31 januari kwam de vorst onverwacht, net toen iedereen dacht dat 'de nederlaag

IJzel op de Afsluitdijk, eind januari 1956, tijdens de vorstinval. Het vrachtverkeer heeft het er moeilijk mee.

van de winter definitief was'. Dezelfde krant publiceerde op haar voorpagina altijd twee weerberichten: van het KNMI en van de Belgische weerdienst. Soms liepen die nogal uiteen, maar over de vorst waren ze het eens. De dubbele berichtgeving maakte dat in Zuid-Nederland jarenlang vooral ook naar de Belgische verwachtingen geluisterd werd.

Chaos op spoor

Op de laatste januaridag was het op het spoor, en vooral in het noorden van het land, een chaos. Een trein die om 06.45 uur uit Groningen vertrokken was, kwam pas om 16.00 uur in Utrecht aan. Voor een van de treinen die niet meer wilden rijden, werd een stoomlocomotief gezet. Ook toen al kon het niet uitblijven: kamerlid Visch stelde vragen aan minister Algera over het functioneren van de Spoorwegen. De vorst zette zo scherp in dat er die 31e januari zware ijsgang was op het IJsselmeer en de veerboot Enkhuizen-Stavoren niet meer kon varen. In Breda werd achttien uur lang zout en zand gestrooid, uiteindelijk zo'n 125 m³. Van preventief strooien hadden ze toen vast nog niet gehoord en bovendien heeft strooien bij zware sneeuwval eigenlijk geen zin.

'Een hopeloos mens'

De eerste februaridagen waren extreem koud met op 1 februari een gemiddelde temperatuur van -13,7 °C in De Bilt. Daarna stelde de vorst bijna een volle week lang niet al te veel voor.

Het Hellmanngetal kreeg er van 3 tot en met 8 februari maar 13,6 punten bij. Vanaf 9 februari stroomde echter opnieuw Siberische kou over ons land uit. *Dagblad De Stem* schrijft: 'In Duitsland deed zich een vreemd geval voor. Een hopeloos mens wierp zich voor de trein, doch de locomotief was met een sneeuwploeg uitgerust en drukte de aspirant-zelfmoordenaar van de rails af, zodat hij ongedeerd bleef.' Het IJsselmeer is ondertussen een poollandschap geworden. Het ijs is dik genoeg om auto's over te laten rijden. Carnaval was een ijskoude gebeurtenis, al wist de zon op carnavalszondag de temperatuur overdag nog tot dicht bij het vriespunt te brengen.

Kolen scheppen

De sneeuwval op 13 februari staat me nog helder voor ogen. Zoals gewoonlijk was het mijn taak om 's ochtends vroeg kolen te scheppen. We hadden in de tuin een grote betonnen bak met twee compartimenten. Links zaten de cokes die we voor de AGA gebruikten (zie kader op blz. 65) en rechts de glinsterende kleine zwarte kolen, antraciet, voor de kachels in de woonkamer en de voorkamer. Op die ochtend van 13 februari kon ik echter niet zomaar beginnen met kolen scheppen maar moest ik eerst een dikke laag sneeuw, die zich voor de schepingangen had opgehoopt, verwijderen. De kolen gingen er die dagen extra snel doorheen. Vaak kon ik, als ik 's middags terugkwam van school, opnieuw de kolenkitten vullen.

De Gouwzee tussen Monnikendam en Marken is begin februari alweer zo sterk dichtgevroren dat er met boten geen doorkomen aan is. Deze mensen brengen hun waren dan ook per slee naar Monnikendam (achtergrond).

Twee sleepboten ploeteren op 7 februari 1956 door het dikke ijs van het IJsselmeer van Lemmer naar Amsterdam. Ze komen maar moeizaam vooruit.

Voor alles is een oplossing. Als je wilt gaan sleetje rijden pakt vader een kist, slaat er twee planken onder, bindt er een "hangklippel" (zwenghout) voor, spant de pony in en de kinderen zijn de koning te rijk. Ze weten zich in het koude weer weer een middag kostelijk te vermaken.

Kinderwinterleed in Eersel

Maria Hoogers

Omdat we buiten woonden gingen we vroeger op de fiets naar de lagere school. In de winter als er sneeuw lag was het onmogelijk de zandweggetjes af te fietsen en moesten we te voet. Achter de boerderijen en boomgaarden waaide de sneeuw bij elkaar en ontstonden er sneeuwduinen. De wind stuwde deze duinen soms zo hoog op dat we tot ons middel erin wegzakten. Auto's reden er toen nog nauwelijks en zeker niet in het buitengebied. Als we door de sneeuw onze weg gebaand hadden zorgde de wind dat na een uur alle sporen weer uitgewist waren en je de weg niet meer zag liggen. Na ongeveer drie kilometer ploeteren bereikten we nat van de sneeuw de school. De stadse nonnen die de school runden vonden dit maar niks. Al die plassen op de schoon geboende gangen was hun een doorn in het oog. Dit leidde tot botsingen tussen de nonnen en de meisjes die van buiten het dorp naar school kwamen.

Ook was tussen de middag op en neer naar huis gaan een onmogelijke opgave zodat we 's morgens een tas met wat boterhammen meekregen die we op school verorberden. Overblijven kende men toen, door de nood geboren, op de scholen op het platteland al.

Vele jaren later midden in de jaren negentig, of misschien nog wel later, kwam ik een van de nonnen van de lagere school tegen. Als vrijwilligster stond zij in hetzelfde dorp in de Wereldwinkel. En natuurlijk, we raakten aan de praat over vroeger. Ze verontschuldigde zich dat ze toen zo op ons gemopperd had als wij weer met natte kleren door weer en wind op school aankwamen. Ze mocht pas de laatste jaren fietsen en was erachter gekomen hoe ver wij van school af woonden. En dat we, hoe klein we toen ook waren, ondanks sneeuw en kou, wel elke dag present waren. Want van naar school gebracht worden, zoals de huidige achterbankgeneratie, was midden jaren vijftig geen sprake.

Peperkoek

Mijn vader had als mede-eigenaar van een autobedrijf een auto. Maar ondanks de felle kou haalden mijn ouders het niet in hun hoofd mij of mijn broers of zussen met de auto naar school te brengen. In 1956 moest ik 's morgens vroeg vaak eerst nog heen en weer naar Moederheil, waar toen vrouwen uit Breda en wijde omgeving naartoe gingen om hun kinderen ter wereld te brengen en waar ik misdienaar was. Na het lange wachten, tot de nonnen uitgebeden waren, werd je in de keuken beloond met een dik stuk peperkoek en de bijbehorende spaarplaatjes.

Auto's op de grachten

Mijn kamer bevond zich op zolder, waar het extra koud was. De ijsbloemen op de ruiten verdwenen vanwege de kou overdag niet en 's nachts moet het op mijn kamer gevroren hebben. Ik sliep er alleen maar en kan me niet herinneren het ooit koud gehad te hebben. Ik was gefascineerd door die strenge winter, en een van mijn herinneringen is aan auto's die op de bevroren grachten van Breda reden.

Vastgevroren aan de brugleuning

Niet alleen Nederland was in de greep van de winter. In Italië sneeuwde het in Rome en in de Apennijnen raakten tachtig dorpen geïsoleerd. Ook in Spanje was het extreem koud. In een Nederlandse krant stond dit bericht: 'In Amsterdam is een

Een luchtfoto van West-Friesland in wintersfeer, genomen op 10 februari, 4 dagen voordat het gebied het centrum zal zijn van de Elfstedentocht van 1956.

Een kopgroep van vijf man komt tijdens de Elfstedentocht van 14 februari 1956 hand in hand als eerste over de streep. Het bestuur van de Elfstedenvereniging besluit de vijf hierop te diskwalificeren. Jeen Nauta wordt tot winnaar uitgeroepen.

meisje, dat bij het kijken naar het spel der meeuwen haar tong tegen een ijzeren brugleuning had gehouden, aan die brugleuning vastgevroren. De brugwachter goot zijn kruikje warme koffie over de tong, die daardoor losraakte.' De moraal van dit verhaal is dat je in strenge winters altijd warme koffie bij je moet hebben.

De koudste dagen van de winter

Naar het midden van de maand toe werd de vorst strenger. Op 14 februari werd de Elfstedentocht gereden, die niet meteen een winnaar kende omdat vijf rijders hand in hand over de finish schaatsten. Met een gemiddelde temperatuur in Leeuwarden van -7,2 °C viel de vorst die dag nog mee. Een dag later lag het gemiddelde bijna vijf graden lager en bereikte de minimumtemperatuur in Leeuwarden een waarde van -20,9 °C. In vrijwel heel Nederland was 16 februari de koudste dag van de winter. Met een gemiddelde van -14,5 °C in De Bilt was het een van de koudste dagen van de eeuw. De temperatuur van -25,8 °C die in Eindhoven gemeten werd, was de op een na laagste van de eeuw. Het scheepvaartverkeer in Nederland was ondertussen tot stilstand gekomen vanwege geheel bevroren rivieren, al werd geprobeerd met ijsbrekers geulen in de rivier te breken. Ook de treinenloop kampte met grote problemen. Vlieland en Terschelling waren door een muur van ijs omgeven. In Apeldoorn werden scholen gesloten omdat er geen brandstoffen meer aanwezig waren.

De eerste auto over de Gouwzee trekt begin februari 1956 nog bekijks. Later in de maand wordt het heel normaal.

Bij Krimpen a/d IJssel steken voetgangers over een speciaal voor hen aangelegd houten pad het ijs van de rivier over. De foto is van 20 februari 1956.

Massale ijspret aan de Stadhouderskade in Amsterdam, in de ijzige februarimaand.

Duurder brood

Door de hevige kou kwam ook de landbouw in de problemen. Het ministerie van Landbouw probeerde de ongerustheid te sussen: de sneeuw zou als een isolator werken en maken dat de vorstschade minder groot zou zijn dan men vreesde. De strenge winter had echter wel invloed op de prijzen. In Amsterdam werd die van bezorgd brood met 1 cent per brood verhoogd. In Windsor, op veertig kilometer van Londen, was de Theems geheel dichtgevroren. Terwijl vrijwel heel Europa leed onder de extreme winter, wees de thermometer op Groenland maar liefst 16 graden boven nul aan.

Aanval op friteskraam

Ook de dieren hadden het moeilijk met de hevige kou. Op de Veluwe waagden herten zich tot in de buitenwijken van dorpen en steden om voedsel te vinden. In Bergen op Zoom voerden ongeveer vijftig uitgehongerde meeuwen een aanval uit op een friteskraam. Ze vraten de voorraad frites in een mum van tijd op.

Extra kolentreinen

De hevige kou hield in Nederland tot en met 26 februari aan en op veel plaatsen werd op verschillende dagen een minimumtemperatuur van -20 °C of lager gemeten. Pas op 28 februari konden de kranten melden dat de winter ten einde was. De problemen met de energievoorziening in Nederland waren

inmiddels groot. Op zondag 26 februari lieten de Spoorwegen 115 extra kolentreinen rijden om het land zo goed mogelijk van brandstof te voorzien.

Koudste maand van de eeuw

Met een gemiddelde temperatuur van -6,4 °C in De Bilt werd februari 1956 ruimschoots de koudste maand van de eeuw. Een record dat zonder schrikkeldag nog steviger zou zijn geweest, want op 29 februari dooide het. Uiteraard gaf de invallende dooi problemen. Langs de Waal bedreigden kruiende ijsmassa's de huizen. In Zeeland werd de ijstoestand nauwlettend in de gaten gehouden. Gelukkig stak er geen noordwesterstorm op, die met zoveel ijs in de zeegaten grote problemen op had kunnen leveren.

Vanaf 23 februari mogen auto's tot een gewicht van 3 ton de Nederrijn bij Opheusden over. De route wordt meteen druk gebruikt.

Tijdens de winter van 1956 worden mensen vindingrijk om toch op de been te blijven. Deze jongen heeft spikes onder zijn schoenen gegespt om op het ijs te kunnen lopen.

Hoewel februari 1956 een uiterst koude maand is, gaan veel mensen, zodra het weer daartoe aanleiding geeft, toch massaal het ijs op.

Zomer van 1956: bittere teleurstelling

Menigeen had de herinnering aan 1947 nog vers in het geheugen. Toen werd de op dat moment koudste winter van de eeuw gevolgd door de warmste zomer sinds de metingen begonnen. De verwachtingen voor de zomer van 1956 waren dan ook hooggespannen. Het werd echter een bittere teleurstelling. In heel 1956 werden er slechts vier zomerse dagen geregistreerd, ruimschoots minder dan bijvoorbeeld het aantal zomerse dagen in april 2007 en minder dan in enige andere zomer van de twintigste eeuw.

Winterterminologie

Temperaturen tussen 0 en -5 °C: lichte vorst
Tussen -5 en -10 °C: matige vorst
Tussen -10 en -15 °C: strenge vorst
Beneden de -15 °C: zeer strenge vorst

De AGA

De AGA die wij thuis hadden was heel speciaal. Het was een bakbeest met links en rechts twee grote ijzeren platen met een middellijn van ongeveer vijftig centimeter. In het midden zat een dekseltje dat je er met een speciale pook af kon halen, zodat je door de opening het fornuis met cokes kon vullen. De linkerplaat werd veel warmer gestookt dan de rechter, zodat je links de pannen neer kon zetten om te koken en rechts dingen om warm te houden. Beide ijzeren platen konden worden bedekt door een grote deksel, zodat bij het niet gebruiken van het fornuis niet te veel warmte verloren zou gaan. Onderin bevond zich een grote bak waarin de as zich verzamelde die je er iedere dag uit moest scheppen. Soms was de as nog erg warm, zodat je bij het weggooien op moest passen geen brand te veroorzaken.

De strenge winter van 1940: met een sneeuwschuiver achter een tractor proberen mannen een provinciale weg begaanbaar te maken, begin 1940.

Sneeuwruimen in 1966 in Groningen.

Sneeuwruimen op de Schipholweg in de winter van 1963.

Sneeuwruimen

Reinout van den Born

In de zachte winters, die sinds 1997 in Nederland de overhand hebben, kunnen we het ons misschien niet zo goed meer voorstellen, maar als het in de 'winters van toen' langere tijd koud was, dan ging het vaak ook sneeuwen. Meestal gebeurde dat als zachte lucht een poging deed om de kou in onze omgeving te verdringen. Vooral als zo'n aanval vastliep, bleef een sneeuwdek in Nederland achter. Gebeurde het een paar keer achter elkaar, dan werd dat een dik sneeuwdek. Dat zorgde voor overlast en moest daarom worden opgeruimd.

Vooral de drie oorlogswinters, de winters van 1956 en 1963 en natuurlijk ook die van 1979 kenden veel sneeuwoverlast. Ook tijdens de winters van 1917 en 1929 was daar al sprake van, maar dan vooral in de ons omringende landen. Zo meldde de Utrechtse krant *Het Centrum* op 29 januari 1929 dat er in Berlijn maar liefst 11.500 mensen werden ingezet om sneeuw te ruimen. Ze hadden de beschikking over 850 wagens om de sneeuw af te voeren, in de loop van de dag werden dat er zelfs 1000! Op 2 februari 1940 werd Nederland geteisterd door sneeuw. Er waren die dag grote problemen. Treinen zaten vast, trams reden niet meer, de

Afsluitdijk was onberijdbaar en Monnikendam raakte geïsoleerd. De weg over het ijs(!) naar Kampen was als gevolg van de sneeuwval onberijdbaar. Daarnaast leed de energievoorziening (vooral de leverantie van kolen) onder de transportproblemen, die onvermijdelijk de kop opstaken als het hard ging sneeuwen.
Sneeuwruimen is ook een kwestie van veiligheid. In veel Algemene Plaatselijke Verordeningen is een passage opgenomen die voorschrijft dat mensen van wie het huis aan een trottoir of stoep grenst, moeten zorgen dat de sneeuw van die stoep wordt geruimd.

De opbouw van het Hellmanngetal gedurende de winter van 1956. Zie voor uitleg de grafiek op blz. 17.

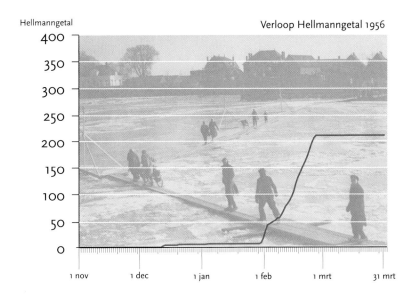

Hellmanngetal

Verloop Hellmanngetal 1956

400
350
300
250
200
150
100
50
0

1 nov   1 dec   1 jan   1 feb   1 mrt   31 mrt

De kazerne in Doorn is midden februari 1956 in een nacht bedekt door een dikke laag sneeuw. Johan Effing, destijds hofmeester officieren bij het Korps Mariniers in Doorn, vond de negatieven van deze foto's bij het legen van een prullenbak. Hij nam ze mee naar huis, liet ze afdrukken en heeft ze altijd bewaard. Zelden is er in Nederland zoveel sneeuw gevallen als in die nacht in februari 1956.

Nijmegen

In de winter van 1956, die voornamelijk in de februarimaand toesloeg, viel veel sneeuw, vooral halverwege de maand. In een groot deel van het land kwam toen een tientallen centimeters dikke laag te liggen, die er mooi uitzag maar veel overlast opleverde. De eenenzeventigjarige Tjebbe Spannenburg uit Apeldoorn herinnert het zich nog maar al te goed. Hij was in 1956 gelegerd in Nijmegen, waar zich destijds drie grote kazernes op een groot kazerneterrein midden in de stad bevonden, waaronder de Prins Hendrikkazerne, waar hij gelegerd was. Ook Nijmegen werd bedolven onder een dikke laag sneeuw, zo dik dat de gemeentelijke sneeuwruimdiensten zich er geen raad meer mee wisten.

Enkele dagen lang bleef de stad verlamd door de enorme hoeveelheden sneeuw in de straten. De onvrede onder de Nijmegenaren over deze situatie liep zo ver op dat in de krant *De Gelderlander* steeds bozere stukken te lezen waren. Totdat kolonel Proost, commandant van het Commando Luchtvaarttroepen, besloot dat actie nodig was. Zeshonderd manschappen, onder wie Spannenburg, marcheerden in groepen de stad in en begonnen aan de klus. Al snel verbeterde de situatie dusdanig dat in *De Gelderlander* opgetogen commentaren verschenen over de geste van de militairen.
De mannen moesten het doen zonder sneeuwschuivers en sneeuwblazers, maar met scheppen. Omdat de sneeuw overal was aangetrapt, aangereden of

verijst, moest er behoorlijk gehakt worden. Het was dan ook uitermate vermoeiend werk, maar tegelijkertijd zeer dankbaar. 'De mensen waren erg blij met ons,' herinnert Spannenburg zich nog. Hij toucheerde net als alle andere militairen 75 cent per dag voor zijn arbeid. Waar de sneeuw bleef, weet hij niet precies meer. 'Volgens mij werd het op karren en in vrachtwagens naar de Waal vervoerd. Maar misschien lieten we het ook wel op grote hopen liggen...'

IJsbloemen

Het raampje is een Séraphine,
Een bloemstilleven ongezien,
Een nonnenspiegel, een gewas
Vol donzen dorens, melk van gras,
Oase onder een pak sneeuw,
Berijpte manen van een leeuw,
Albino's, schedelverentooi,
Strikken van tule, 't krullenooi–
Ze drukt haar pop tegen haar vacht
En ooilam, ooilam zegt ze zacht–,
Paard, pluim, toom, tuig en rinkellast,
Dood fluitenkruid, een holle bast,
Een schalvel, een dicht berkenbos,
Een meisjesschool met haren los
Het duin afrennend wie-het-eerst,
Een knippapieren kinderfeest,
Van porselein, van gips, van steen,
Soldaten op hun tinnen teen.
Het ziet er van de doden wit.
Men kijkt er binnen hun gebit.
Een schaduw zonder ondergoed.
Graftuiltje dat het zeggen moet.

Chr. J. van Geel

Uitgeverij G.A. van Oorschot, Amsterdam

Een luchtfoto van een groep schaatsers, deelnemers aan de Elfstedentocht, op een compleet witte ijsvlakte, Friesland 18 januari
1963.

De aanvoer van brandstof verloopt in januari 1963 steeds moeilijker door het zware ijs in de grachten.

Schaatsen in de haven van Volendam tijdens de barre winter van 1963.

avond zouden we Sinterklaas vieren bij mijn schoonouders aan het andere eind van de stad. Rond vier uur was het al schemerig en kwam er mist opzetten. De mist werd snel dikker, waardoor we stopten met schaatsen en naar ons nieuwe huis reden. Althans, dat wilden we, maar door de steeds dikkere mist raakten we de weg kwijt en doolden we een tijdlang door ons totaal onbekende nieuwe wijken. Uiteindelijk vonden we onze flat toch. We legden de laatste hand aan de surprises voor pakjesavond en besloten dat het toch verstandiger zou zijn om maar niet met de scooter naar mijn schoonouders te gaan en een taxi te nemen. Helaas was er nog geen

telefoon in huis. Een eindje verderop in de wijk stond een telefooncel, waar ik heen wandelde en een taxi wilde bestellen. De man van de taxicentrale begon hard te lachen toen ik mijn aanvraag doorgaf. Hij vertelde dat er geen enkele taxi meer reed door de dikke mist. Die mist had een vieze gelige kleur en was inderdaad zo dik geworden dat er geen verkeer meer mogelijk was. De enkele auto die nog reed werd begeleid door een voetganger ernaast die de chauffeur aanwijzingen gaf.

Weer thuis hoorde ik op de radio dat het hele verkeer rond Rotterdam tot stilstand was gekomen. Oudere

Rotterdammers zullen zich die dag zeker nog kunnen herinneren. We hebben die avond geen Sinterklaas gevierd, dat werd enkele dagen uitgesteld. Het was het begin van de strengste winter uit de recente geschiedenis.

Tweede kerstdag zouden wij vertrekken naar Parijs, maar veel treinen vielen uit omdat het op diverse plaatsen fors had gesneeuwd en in het zuiden van het land en in Vlaanderen had zich ijzel afgezet op de bovenleidingen. Het is ons toch gelukt om, met de nodige vertragingen, in Parijs te komen. Voorbij Brussel was het leed geleden en in Parijs hebben we een aantal dagen genoten van fraai voorjaarsachtig weer.

In de buurt van het bij Hoogeveen gelegen gehucht Siberië probeert een melkveehouder zijn melk, ondanks het barre weer, toch bij de fabriek te krijgen. Het paard, dat de kar trekt, zakt af en toe diep weg in de dikke sneeuwlaag. Een foto van 2 januari 1963.

Hoe sterk is de eenzame fietser... Foto van 8 januari 1963, op de dijk van Monnikendam naar Marken.

Bladeren in historische weerkaarten

Bladeren in historische weerkaarten is net zo leuk als het lezen van een spannend stripboek. Ook als je tientallen jaren meteorologische ervaring hebt, kunnen weerkaarten je helemaal op het verkeerde spoor zetten. Maar er zijn ook kaarten waar je geen seconde over na hoeft te denken om te weten wat voor weer erbij hoort. Zo laten de weerkaarten van de eerste dagen na 21 december, vooral die van de hogere luchtlagen, je rillen van de kou. In een winter als die van 1962/1963 waren er echter ook talrijke weerkaarten die in een andere winter, met een andere voorgeschiedenis, niet eens in de nacht vorst opgeleverd zouden hebben. Maar in 1962/1963 was de situatie maandenlang uitzonderlijk. Heel Europa was overspoeld met koude lucht en op veel plaatsen lag een dik pak sneeuw dat de kou goed kon vasthouden. Depressies lopen in zo'n situatie stuk op de kou en laten nieuwe sneeuw achter die het koudebolwerk alleen maar versterkt. Zo kun je op de weerkaarten van de win-

ter van 1962/1963 heel wat situaties zien waarbij het in een 'normale' winter 5 tot 10 °C zou worden, terwijl het toen 's nachts licht tot matig vroor en de temperatuur overdag nauwelijks boven nul kwam.

Witte demon

In de loop van tweede kerstdag viel de eerste sneeuw van die winter. Tijdens de nieuwjaarsnacht vroor het gemiddeld vijf graden en niemand kon toen vermoeden dat we aan het begin van de langste en koudste winter van de eeuw stonden. Op 31 december kopt *Dagblad De Stem* dat de winter als een witte demon over ons land raasde. De sneeuwjachten brachten het verkeer rond de jaarwisseling bijna overal praktisch tot stilstand. Op de Veluwe kwamen sneeuwduinen van meters hoog voor. De strijd tegen het ijs werd al snel begonnen. IJsbrekers werkten zich door het jonge ijs en er werd niet gewacht tot er zich ijsdammen gevormd hadden.

Honderden automobilisten zijn op de weg Amsterdam-Purmerend tijdens de sneeuwstorm van oudejaarsavond 1962 blijven steken. Ze zijn lopend naar Amsterdam teruggekeerd en hebben hun auto's achtergelaten.

IJsbloemen sieren de ramen van een bloemenzaak, midden in Amsterdam.

IJsbloemen

Jaap van Suchtelen

Vroeger hadden de meeste huizen nog geen dubbel glas (dubbele ruiten bestonden wel, maar die waren meestal uitgevoerd met dubbele kozijnen. Het hermetisch afgesloten thermopane paneel werd pas geïntroduceerd rond 1948). De luchtvochtigheid binnenshuis was hoger dan tegenwoordig, omdat maar weinig huizen centrale verwarming hadden. Stond er dan ook nog een ketel water op de kachel, dan kreeg je met flinke vorst ijsvorming op de ramen, zeker als de gordijnen dicht waren, waardoor de lucht tussen gordijn en raam extra afkoelde. Veel kinderen van nu hebben nooit ijs op de ramen gezien, omdat ze in centraal verwarmde huizen met dubbel glas wonen. Het ziet er spectaculair uit. IJs heeft de bijzondere eigenschap zeer grote kristallen te kunnen vormen, van decimeters of zelfs wel meters groot. Je kunt dat bijvoorbeeld zien op een ondiepe vijver, als in een windstille nacht voor het eerst de vorst invalt: op het wateroppervlak zie je dan soms lange ijspieken (dendrieten, afgeleid van 'dendron', Grieks voor boom) drijven.

Ook op een glasoppervlak kunnen grote ijsdendrieten ontstaan. Op twee manieren: direct vanuit de damp, of door bevriezing van een waterlaagje. Die twee vormen zien er anders uit. Als ze ontstaan door bevriezing van een laagje water, vormen zich meestal bochtige 'veren'. Je ziet die op een autoruit als je bij vorst sproeit en het vochtlaagje direct bevriest. Dendrieten groeien vanuit kiemen die meestal aan de rand van de ruit of op een kras of vlek ontstaan.

Sneeuw op zolder

Op 30 december waaide het hard en joeg er stuifsneeuw door de straten. Het leek wel een blizzard. Dat had ik nog nooit gezien! Het was een extra bijzondere dag, want we zouden met de auto (een eend) op visite gaan bij mijn jarige tante, die in Amsterdam-West woonde. Voor vertrek moest ik even iets op zolder pakken. Tot mijn stomme verbazing zag ik hoe er sneeuw tot onder de dakpannen werd geblazen en als een lichte sneeuwbui binnen neerdwarrelde! Het was daar op zolder zo koud dat de houten vloer en de voorwerpen al met een dun wit laagje waren bedekt.

De tocht per auto naar het verjaardagsfeest was een enerverende. De wegen waren zwaar besneeuwd, dus stapvoets gingen we op weg. Van het feest zélf herinner ik mij niets meer. In de loop van de middag hield het op met sneeuwen, maar thuisge-komen zagen we dat veel stuifsneeuw onder de kier van de buitendeur het trappenhuis in was gewaaid.

Eerste dooiaanval

Ook de eerste dagen van januari waren koud, waarna een bescheiden dooiaanval inzette. 'Afscheid van de Winter' kopte een krant op 5 januari, maar op Driekoningen stroomde de vrieslucht alweer over Nederland uit, met meteen strenge tot zeer strenge vorst. De situatie die zich daarna ontwikkelde, was die van een klassieke winter. Enkele storingen die vanaf de Noordzee binnendrongen brachten sneeuw en nauwelijks dooi. Achter de storingen draaide de wind naar het noordoosten en voerde bitterkoude lucht aan. Verschillende plaatsen bij het IJsselmeer, zoals Hem, raakten geïsoleerd. Als er al een vracht-auto kon komen, dan reed die tussen muren van sneeuw.

De ijsweg bij Wijhe over de IJssel gaat op 15 januari 1963 open voor het verkeer, over een 35 centimeter dikke ijsvloer. De pont, die normaal op dit punt genomen kan worden, vaart al lang niet meer.

Een bijzondere ijstafel op het strand bij Rockanje. Foto van 13 januari 1963.

Een tankwagen slipt op weg Amsterdam-Velzen, als gevolg van ijzel. Een kraanwagen probeert de gestrande combinatie weer op de weg te zetten.

Stagnatie kolenaanvoer

In 1963 stookt Nederland nog steenkool en de strenge vorst begint tot problemen bij de kolenaanvoer te leiden. Sommige kolensoorten zijn al vrijwel uitverkocht en voor andere soorten wordt gevreesd dat dit binnen één of twee weken zal gebeuren. De kolenhandelaren hebben het moeilijk. Veel kolen worden op krediet geleverd, terwijl ze zelf hun grossiers binnen acht dagen moeten betalen.

Door het barre winterweer in januari 1963 raakt Nederland snel door zijn zoutvoorraad heen. Rond de 17e moeten steeds meer winkels nee verkopen.

Rotterdams (drink?)water

Het leidingwater in Rotterdam had al geen beste naam vanwege de het hoge chloor- en zoutgehalte maar in de winter van 1962/1963 werd het extra slecht. In de Rotterdamse gemeenteraad werden er ongezouten debatten over gevoerd. De lage waterstand van de Rijn was de oorzaak. In Breda werkte ik tijdens het weekeinde en in de vakanties vaak aan ons tankstation en grote aantallen Rotterdammers kwamen bij ons langs om jerrycans vol met goed Breda's water mee te nemen. Vooral in deze winter was je er vaak uren op een dag mee kwijt.

Een oosterstorm teistert Nederland rond 20 januari 1963. Wegen stuiven dicht. Op de weg tussen Krommenie en Uitgeest is rijden alleen mogelijk in colonne, achter de sneeuwschuiver.

Elfstedentocht

Na zoveel vorst was het ijs ondertussen dik genoeg geworden voor een Elfstedentocht. Het werd de meest bizarre editie van de eeuw op de koudste dag van de winter. De schaatsers vertrokken bij een temperatuur van -18 °C en een stevige wind. Veel schaatsers kregen met bevriezingsverschijnselen te maken en nooit was het aantal uitvallers zo groot. Winnaar Reinier Paping is meer dan veertig jaar na dato nog steeds een held. Op 18 januari voorspelde de Amerikaanse weerdienst dat de kou in Europa nog zeker een maand aan kon houden. Na 18 januari vroor het nog bijna een week iedere nacht in Nederland wel ergens streng. Vanaf 25 januari was het een paar dagen minder koud, maar aan het eind van de maand begon het opnieuw matig tot streng te vriezen. Het dikker wordende ijs begon voor steeds meer problemen te zorgen. Van 7 tot 17 februari was het niet bijster koud, maar er viel wel regelmatig sneeuw en de temperatuur kwam overdag ook niet echt boven nul. De vorst nam vanaf 19 februari weer toe en op veel plaatsen vroor het in de nacht streng tot zeer streng. De zon is eind februari echter al behoorlijk krachtig en aan het eind van de maand kwam de temperatuur in de middag een paar graden boven nul uit. Het zou prachtige omstandigheden opgeleverd hebben voor een tweede Elfstedentocht in deze winter. De eerste maartdagen leverden nog een bijdrage aan het Hellmanngetal en dat was precies genoeg om de winter van 1946/1947 in strengheid te passeren. Ik volgde als veertienjarige jongen dat Hellmanngetal van dag tot dag om te weten of het ook echt de strengste winter zou worden. Op zondag 3 maart kon ik de spanning niet meer aan en belde naar het KNMI voor uitsluitsel. De meteoroloog van dienst hield mij meer dan een kwartier aan de praat en toen ik twaalf jaar later zelf bij het KNMI ging werken, was ik er zeker van dat het de beroemde Joop den Tonkelaar was geweest die me toen te woord had gestaan.

De route van de Elfstedentocht 1963, compleet met aantekeningen.

Elfstedentocht 1963: vijf deelnemers schaatsen over het slechte ijs.

Elfstedentocht 1963: drie deelnemers ploeteren door de stuifsneeuw en over het slechte ijs.

Twee schaatsers houden zich tijdens de Elfstedentocht van 1963 met moeite staande op het onregelmatige ijs onderweg.

Een schaatser ploegt eenzaam voort door het verijsde Friese land. Een stukje achter hem is een achtervolger te zien.

De maximum- en minimumthermometer

Ik had thuis een maximum- en minimumthermometer waar ik regelmatig op keek. In de winter van 1962/1963 begon ik de gegevens ook bij te houden. Drie keer per dag (vanwege de schooltijden) schreef ik de temperatuur op en hield grafieken bij. De plaats waar de thermometer was opgesteld, op het dak van de garage, was niet ideaal, maar de meetgegevens klopten heel aardig met de weerberichten op de Belgische en Nederlandse televisie. Helaas zijn de kladpapiertjes jaren later bij een brand verloren gegaan, evenals een heel krantenarchief van de winter.

Soms gebeurde het dat de kwikdraad in de thermometer brak en omdat ik daar niet zomaar een oplossing voor wist, ging ik dan terug naar de opticien in de binnenstad waar ik de thermometer gekocht had. In de werkplaats werd het kwik snel weer op z'n plaats gebracht, wat me soms niets en soms een hele gulden kostte, afhankelijk van wie er in de winkel stond. Eigenlijk hadden ze me best kunnen leren hoe je dit euvel zelf heel gemakkelijk kunt herstellen: je pakt de thermometer aan de bovenkant beet en slaat hem af, net als je vroeger met een koortsthermometer deed.

Drie deelnemers aan de Elfstedentocht van 18 januari 1963 schaatsen door het barre weer naar het volgende dorp.

Reinier Paping komt als eerste over de streep van de barre Elfstedentocht van 1963. Hij heeft een voorsprong van 22 minuten op Jan Uitham, die als tweede finisht.

Kerstman van vilt en plastic

Tom van der Spek

Toen de barre winter van 1962/1963 op tweede kerstdag echt begon, was ik zeven. Toch kan ik mij er nog veel van herinneren. Zo had ik op tweede kerstdag een kerstmannetje gekregen, gemaakt van vilt en plastic, met een holle buik waarin snoepjes verstopt waren. Voor ik naar bed moest, zette ik stiekem het poppetje in de vers gevallen sneeuw op het balkon van mijn slaapkamer. Het sneeuwde nog en als kind dacht ik dat zo'n kerstmannetje zich in dit weer veel beter thuis zou voelen dan in de (overigens ook niet zo warme) slaapkamer. In ons tochtige huis in de Dusartstraat aan de rand van de Amsterdamse Pijp was het qua verwarming nog niet 'je van het'. Alleen in de woonkamer stond een kolenkachel. Ik hoopte het mannetje de volgende ochtend aan te treffen met een écht sneeuwhoedje op zijn kop. Maar het liep uit op een stevige uitbrander van mijn moeder. Door de sterke wind waren de kop en het bovenlichaam van het kerstmannetje weggewaaid en in de sneeuw stonden alleen de twee voetjes en de holle onderste helft van de buik. Die bovenste helft hebben we nooit meer teruggezien.

Rijweg over het IJsselmeer, vanuit de auto gefotografeerd.

Jan Vinke en maat bij hun Fiat op het IJsselmeer.
Op de foto linksonder is nog net Urk te zien.

Schaatsers en ijsliefhebbers genieten van zon, sneeuw en ijs bij een koek-en-zopiekar naast het ijs, bij Stavoren.

Eerste bezoekers van een café in Amsterdam genieten in februari 1963, buiten op een terrasje, van de voorjaarszon. De gracht is nog bevroren.

Luchtfoto van een toertocht over het ijs van het IJsselmeer in de buurt van Stavoren.

Met de auto's op het ijs op 3 maart 1963, bij Stavoren, voor een tocht.

Nederland-België

Voor zondag 3 maart was de interland Nederland-België vastgesteld. Uiteraard zag men al wekenlang aankomen dat het veld van het Feijenoord-stadion door de vorst onbespeelbaar zou zijn. Besloten werd om ongeveer twee weken voor de wedstrijd een groot stuk plastic aan te brengen dat het hele veld bedekte en waaronder warme lucht werd geblazen. Zo slaagde men erin het veld toch bespeelbaar te maken. In een vol stadion, waar ik mijn eerste interland zag, verloor Nederland met 0-1 en het enige dat me van de wedstrijd is bijgebleven is dat de scheidsrechter uitgleed. Door het werk aan het veld kon anderhalve week later de return van de wedstrijd Reims-Feijenoord, die Feijenoord met 1-0 had gewonnen, gespeeld worden. Die wedstrijd op 13 maart eindigde in een gelijkspel, waardoor Feijenoord doordrong tot de halve finale van de Europacup.

Enkele kinderen zijn in de strenge winter van 1963 aan het schaatsen op het ijs van de Heussense Vaart in Haarlem. Op de achtergrond de Wipwatermolen.

Een speciaal soort oorwarmers.

Deze gevaarlijke variant, je laten voorttrekken door een auto, is eigenlijk niet toegestaan. En misschien daarom wel zo leuk... De foto komt uit Zaandam.

Sleetje rijden

Marieke van der Schaar

In de winters van de afgelopen jaren was een pak sneeuw een zeldzaamheid – als er al eens sneeuw viel, was het maar een paar centimeter en bleef het kort liggen. In de winters van mijn kinderjaren (de jaren vijftig) was dat wel anders: dikke pakken sneeuw, weken lang... tenminste, in mijn herinnering.

Het fijne van die sneeuw was vooral dat je dan kon sleetje rijden. De sleeën werden van zolder gehaald en dan was het natuurlijk vechten wie erop mocht (ik heb vier broers en een zus). We woonden toen in Hilversum en hadden bij de Diependaalseweg een lange helling waar je af kon glijden, maar het mooiste was als mijn vader in het weekend even tijd had voor een ritje door het Spanderswoud.

Achter de Ford Versailles haakte dan een hele sliert van wel tien sleetjes, waar alle kinderen op hun buik op lagen, aan. Van het voorste sleetje werd het touw aan de achterbumper vastgeknoopt. Dan reed mijn vader met de auto als locomotief die hele sleetjestrein over de bospaden. Oei, wat ging dat lekker hard. Vooral in de bochten hadden de achterste sleetjes het moeilijk! Je moest dan uitkijken dat je de benen van je voorligger goed bleef vasthouden want door de centrifugale kracht, die nog versterkt werd door de sleetjes die jij aan je benen voelde trekken, brak de ketting makkelijk. Het gevolg was dat je dan soms met een gedeelte van de sliert tegen een boom aan knalde. Maar ook de eerste slee had het niet gemakkelijk: je zat dan vlakbij de uitlaatpijp en de

achterbanden van de auto, die constant sneeuw tegen je aansproeiden, waardoor je vaak niks meer zag. Tegelijkertijd moest je toch goed uitkijken dat je bij een onverwachte bocht niet onder die wielen terechtkwam. Levensgevaarlijk eigenlijk, denk ik nu achteraf, maar toen dacht ik er niet bij na en was het de heerlijkste winterpret die je kon bedenken.
Ik geloof eigenlijk dat mijn vader er ook niet zo bij nadacht, maar misschien keek hij toch wel steeds zorgzaam in de achteruitkijkspiegel en reed hij toch niet zo hard als ik nu denk (wordt mijn herinnering aan snelheid vertekend).

Jongeren in Zaandam sleeën op de weg tijdens de sneeuwrijke periode van december 1980.

Friese herinneringen aan de winter van 1962/1963

Hiltje van Abbema (toen 13 jaar)

Als ik aan de winter van 1962/1963 terugdenk, zie ik in gedachten uitgestrekte besneeuwde en ijzig koude vlaktes in Friesland. En ook harde wind met striemende sneeuwstormen. In het dorp Schettens waren de sneeuwduinen zo hoog als de daken van de huizen. Er was geen pad meer doorheen te maken, daar was geen beginnen aan. Dan maar een tunnel erdoorheen gegraven. Een maand nadat de dooi was ingetreden waren sommige nog intact.

Water voor de koeien

Het drinkwater voor de koeien werd op onze boerderij vanuit een sloot voor de boerderij opgepompt. Waterleiding was er nog niet. De winter duurde lang. Op een gegeven moment was bijna alle water in de sloot bevroren. Het moment was aangebroken dat er iedere dag twee keer naar de melkfabriek in Bolsward, vijf kilometer verderop, gereden moest worden om heet water in een tank op te halen. Dat was een hele onderneming op een bochtige, kronkelige, hoge slaperdijk. Terug op de boerderij was het water al steenkoud en het werd dan meteen in de stal gereden om bevriezen te voorkomen. Soms was het nog maar net op tijd.

De boerderij was slecht geïsoleerd en op zolder werden baaltjes hooi gelegd om de stal te isoleren. Het was bitter koud. Een vast ritueel was iedere morgen met keteltjes heet water de bevroren leidingen te ontdooien. Uren was je ermee bezig. Soms moest dat ritueel 's middags alweer herhaald worden.

De telefoon en het elektrisch ging in die tijd nog langs kabels en houten palen. Door de vele ijzel van die winter werden de kabels zwaar en stug. Toen het daarbij ook nog waaide braken de kabels en zaten we zonder stroom en telefoon. Het heeft in mijn beleving veel en hard gewaaid. Een tijd lang hebben we een aggregaat gehad. Volgens mij heeft deze winter de aanleg van ondergrondse kabels bespoedigd. Wij kregen in de nazomer al waterleiding en toen werd er een begin gemaakt met het ondergronds aanleggen van elektriciteitskabels.

De Elfstedentocht komt langs!

In die winter was er ook de beroemde of liever gezegd beruchte Elfstedentocht, die gewonnen werd door Reinier Paping. Het was een barre tocht. Door de sneeuw en de harde wind waren de sloten vol gewaaid. Met man en macht liep het hele dorp uit om een begaanbaar schaatspad te maken, maar dan kwam de harde wind weer en konden we opnieuw beginnen. De route van de monstertocht tussen Bolsward en Witmarsum liep vlak achter de boerderij. De ochtend van de tocht ben ik vanuit de boerderij naar Bolsward geschaatst, later nog naar Witmarsum. Bitter koud was het en het ijs was slecht. Het woei hard en de sneeuw striemde. Zwarte besneeuwde poppetjes bewogen zich over de sloot.

Een teil vol snert

Dat het die dag bijzonder koud was hebben we op de boerderij gemerkt. In de loop van de middag kwamen er steeds meer mensen hun heil bij ons in de keuken zoeken, bij de warme houtkachel. Stampvol was die keuken soms. We konden er soms zelf amper bij. Met vooruitziende blik had mijn moeder die ochtend een hele teil snert gemaakt. Dat komt vandaag vast wel op, zei ze die ochtend met een lach. Dat die aan het eind van de middag al op zou zijn had ze volgens mij zelf niet echt gedacht.

Bevroren met ijs op gezicht en kleding kwamen de schaatsers binnenstrompelen en trokken hun schaatskleding uit. In die tijd was dat nog een gewoon oliepak of een dichte jas. Met daaronder... kranten, heel veel kranten. Mijn vader onderhield die dag met de auto een pendeldienst naar de bus in Witmarsum. Hij is vaak naar de bushalte gereden om mensen op de bus te zetten.

Opgeven

Een enkeling wilde het beslist niet opgeven. Nadat die opgewarmd waren, vroegen ze om meer kranten om tocht onder de kleding te voorkomen. Dus kranten over de knieën, achter de knopen van de jas en vooral voor de edele delen. Stel je voor dat daar wat mee zou gebeuren. Aan het eind van de dag was er geen oude krant meer over. De meesten gaven het in Witmarsum al op, hoorden we later. Een enkeling konden we nog net even begroeten voordat ze in de bus stapten. Er waren er een paar die niet van ophouden wilden weten en zij gingen nog wat verder. Die waren vaak een eindje verderop toch maar gestopt. Van de mensen die bij ons rond de tafel zaten, vermoeden wij dat geen van hen de tocht uitgereden heeft.

Ondanks het barre winterweer worden de vogels niet vergeten. Vrijwilligers van de Sophia Vereniging tot Bescherming van Dieren strooien in de omgeving van Amsterdam begin januari 1963 dagelijks zo'n 1000 kilo voedsel voor de dieren uit.

Op het strand bij Scheveningen waren in de winter van 1963 grote ijsbergen ontstaan en er was toen zeker 3 kilometer bevroren zee.

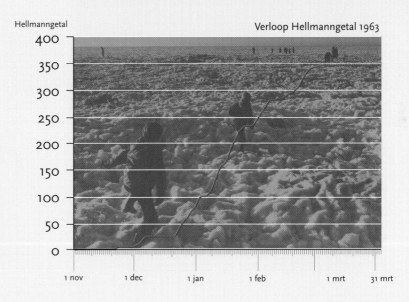

Hellmanngetal

Verloop Hellmanngetal 1963

400
350
300
250
200
150
100
50
0

1 nov   1 dec   1 jan   1 feb   1 mrt   31 mrt

De opbouw van het Hellmanngetal gedurende de winter van 1963. Zie voor uitleg de grafiek op blz. 17.

IJsberg aan de Noordzee

Daphne Duyvelshoff-van Peski

Ik moet toen ongeveer elf jaar geweest zijn, maar herinner me de sensatie van bergen aan de Noordzee nog. Het was een mooie, ijskoude dag. Mijn moeder had een afspraak met haar psychologe, ik mocht mee en zou tijdens hun gesprek een boekje lezen.
De psychologe stelde, bij wijze van therapie, een wandeling langs de Scheveningse kust voor. Daarmee stal ze in ieder geval mijn hart. Met mijn moeders hart is het later ook helemaal goed gekomen.

Niets dan sneeuw

Niets dan sneeuw
in de voorbijrazende trein
huizen bomen
schilderijen taferelen
alles wit
zo eindeloos wit
takken twijgen
fijn getekend
alles niets dan sneeuw

Cathy Mara, 1986

Uit: Gedichten van vroeger

Beeld van een snelweg in Groningen tijdens
de sneeuwstorm die het noorden van het
land vanaf 14 februari 1979 in de greep
heeft.

De winter van 1978/1979

Twee maanden op de grens van warmte en kou

Reinout van den Born

Voor een hele generatie is de winter van 1978/1979, met zijn barre winterweer en overlast, de eerste strenge winter geweest. Sinds de winter van 1963, de allerkoudste sinds 1830, zijn bijna alle winters zacht geweest. Enige uitzondering was de winter van 1970/1971, die veel sneeuw bracht maar niet genoeg kou om het tot een strenge winter te brengen. In de winter van 1978/1979 kwam Nederland twee maanden lang in het grensgebied van zeer koude, arctische lucht in het noorden en erg zachte, subtropische lucht in het zuiden terecht. Met die grens steeds in de buurt of zelfs boven ons land kwam het vele malen tot 'winters stuntwerk van topklasse', zoals Jan Buisman het in zijn boek *Bar en boos* zo mooi noemt.

Voor mij begint de winter van 1978/1979 op 27 december 1978. Ik ben tien jaar, val van een pony en kom in het ziekenhuis in Harderwijk terecht.

Er wordt een schedelbasisfractuur geconstateerd en een hersenschudding. Daar lig ik dan, met een deuk in mijn hoofd, een bonkende hoofdpijn en zusters die eens per twee uur komen kijken of het wel goed gaat. Buiten striemt de regen tegen de ramen. Het waait. En het is warm, vertellen mijn ouders als ze op bezoek komen. Wel 12 of 13 °C! Maar in het noorden is het gaan vriezen, met sneeuw en ijzel. Ik kan mijn oren niet geloven. Wordt het dan toch winter? Terwijl ik in het ziekenhuis lig?

Op de dag dat ik naar huis mag, komen mijn ouders me halen. Terug naar Garderen rijden we over een spekgladde Veluwse weg. Auto's liggen op de kop aan de kant. We rijden voorzichtig. Het is nog maar net opgehouden met regenen en het vriest zes graden! Van de dokter moet ik nog twee weken in bed blijven. Zou het gaan sneeuwen? Ik ben boos. Van slapen komt er door de nog steeds bonkende hoofdpijn trouwens toch niets terecht. Mijn ouders zetten een bed beneden voor het raam, waar ik in kan gaan liggen. Ze hangen ook een thermometer voor het raam, buiten. Zo kan ik het toch allemaal zien.

Winterweer

Het is 30 december en het sneeuwt. De nacht daarna stormt
het terwijl de temperaturen verder dalen. De jaren zeventig
naderen hun einde. Winterweer heb ik nog niet vaak beleefd.
Het sneeuwde de jaren ervoor wel eens en af en toe konden we
ook het ijs op. Maar een strenge winter, zo een waar mijn opa's
en oma's al zo veel over verteld hadden, heb ik nog niet meegemaakt.

Als de volgende dag blijkt dat de sneeuw bij ons in de tuin op
grote hopen is geblazen, kijk ik dan ook verbaasd naar buiten.
Nooit heb ik erbij stilgestaan dat sneeuw, als het vriest, gaat
stuiven. Het ziet er prachtig uit onder de diepblauwe hemel van
dat moment. Het vriest hard, maar omdat ik binnen moet blijven en alleen de warmte binnen huis voel, denk ik dat het
dooit. Ook mijn thermometer buiten, die pal in de zon hangt,
laat me in die waan. Opnieuw voel ik me boos en teleurgesteld.
Ligt er eindelijk eens een keer sneeuw, mag ik niet naar buiten

Een boerderij in het door de sneeuwstorm van 1979 compleet ingesneeuwde Friese land.

en kan ik ook niet gaan sleeën. Ik vind het oneerlijk. De winter duurt immers nooit lang. Zo is het ook in de jaren ervoor altijd geweest.

Het blijft vriezen. Het is die dagen zelfs ijskoud in Nederland. In de eerste week van januari daalt het kwik in het Groningse Ten Post vier opeenvolgende nachten tot beneden -20 °C, met als laagste waarde -24,7 °C op 4 januari. Deze vorstperiode, die op 30 december is begonnen, is de enige echte van de hele winter. Hoewel het nog lang koud blijft, worden de temperaturen nooit meer zo laag als in de eerste dagen van 1979.

Op 2 januari kondigt het KNMI in het ochtendweerbericht een plaatselijke sneeuwbui aan, aan zee. Weer pech. Waarom niet bij ons? Toch zie ik het sneeuwen. Steeds harder. Het begint ook te waaien en voordat ik het weet gaat het buiten zo tekeer dat ik niet goed meer weet of ik het wel eens eerder zo hard heb zien sneeuwen. Ondertussen vriest het tien graden. Auto's bij ons in de straat komen af en toe bijna vast te zitten. Het

ziet er ijzig uit. Ik vind het prachtig, maar de deuk in mijn hoofd blijft bonken. Toch maar weer liggen.

Op de radio is te horen dat mensen wordt aangeraden niet op pad te gaan. Als ik naar buiten kijk en zie dat de weinige auto's die het op de straat voor ons huis nog proberen ook nog eens bijna vast komen te zitten, kan ik me dit advies goed voorstellen. Wegen worden afgesloten, vrachtwagens kunnen hellingen niet meer nemen en op andere wegen kan alleen stapvoets worden gereden. Door de combinatie van zware sneeuwval, veel wind en bijzonder lage temperaturen werkt wegenzout niet en is het voor de strooidiensten onbegonnen werk om de wegen schoon te krijgen. Automobilisten die hun toevlucht nemen tot de trein, komen ook van een koude kermis thuis. Bij de Nederlandse Spoorwegen vriest zo'n beetje alles vast. Aan het eind van de dag lijkt er bij ons zeker tien centimeter te zijn bijgekomen. Het heeft trouwens in vrijwel het hele land gesneeuwd. Alleen Groningen en Drenthe hebben niets gekre-

Het ijzelt vaak in de winter van 1979, zoals op deze foto op 7 januari. Vaak levert de bijkomende gladheid grote overlast op. De dooi, die op de ijzel volgt, zet zelden door. Het blijft winters.

Verkeerschaos op de Brienenoordbrug in Rotterdam tijdens ijzel op 8 januari 1979. Niet alleen is het wegdek spiegelglad, ook vallen stukken ijs van de boog op de weg.

Met een schop probeert een medewerker van Rijkswaterstaat op 8 januari 1979 zo veel mogelijk ijs van de boog van de Brienenoordbrug te hakken. Omdat het ijs steeds op de weg valt, is over de brug rijden levensgevaarlijk.

gen, en in een deel van Zeeland heeft het even geregend en gedooid bij een zware noordwesterstorm, lees ik een dag later in het weerbericht van Hans de Jong in *Trouw*. Ik kan me er, gezien de kou buiten de deur, nauwelijks iets bij voorstellen. Pas veel later begreep ik dat we te maken hadden met een voor Nederland zeldzaam fenomeen: een Polar Low.

IJzel

Het duurt die eerste weken van januari niet lang of het KNMI maakt in de verwachtingen melding van het invallen van de dooi. Af en toe komt de temperatuur overdag ook wel even boven nul, maar de sneeuwlaag blijft standhouden. Langzaam kom ik weer op de been en kan volop van het winterse weer genieten. Eén weekend herinner ik me nog goed, het moet dat van 20 januari zijn geweest. We zijn bij familie in Terschuur, de plaats waar de veevoederfabriek van mijn vader staat. Daar ligt op het terrein een berg waar je prachtig van af kunt sleeën.

Samen met neefjes en nichtjes en kinderen uit de buurt geven we ons er helemaal aan over. Ineens begint het te regenen. Voor ons komt die regen als een verrassing, want het dooit niet. Snel halen mijn ouders ons van de slee om terug naar ons zeventien kilometer verderop gelegen eigen dorp te gaan. Eerst rijden we heel voorzichtig. Al snel wordt het echter droog en gaat het een stuk sneller. Het zal gaan ijzelen, vertelt mijn vader. De weg gaat in een ijsbaan veranderen. Dat hebben we nog nooit meegemaakt!
De volgende dag stappen we dan ook vol verwachting naar buiten. Maar er is helemaal geen ijsbaan. Sterker nog, het heeft in Garderen helemaal niet geregend. 's Middags komt mijn vader terug van het werk in Terschuur en vertelt dat het daar wel zo hard geregend heeft dat er 's ochtends één à twee centimeter ijs op de weg en op de auto's had gezeten. Maar die regen is niet verder gekomen. Het tekent die winter: Nederland op de grens van kou en dooi. Keer op keer wordt een doorzetten van

Je moet vindingrijk zijn om bij ijzel op de been te blijven..

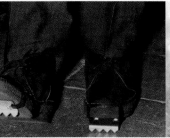

Het kwam meerdere malen tot zware ijzel. Anti-slipijzertjes onder de schoenen hielden mensen op de been.

Het ijzelt in Nederland. Om toch op de been te blijven binden sommigen pannensponzen onder hun schoenen.

De enige mogelijkheid om een auto weer op gang te krijgen tijdens de ijzel van 21 januari 1979 is soms je te laten duwen door een schaatser...

de dooi verwacht. Keer op keer gebeurt het niet en blijft het koud met steeds die mengvorm van regen, sneeuw en ijzel. In de dagen erna dringt de ijzel wel tot Garderen door. Meerdere malen zelfs. Af en toe is het 's ochtends zo glad op de weg dat we door het dorp naar school schaatsen. Over de weg, want er rijdt op dat moment toch niemand. Midden op de dag zorgen pekel en verkeer ervoor dat een deel van de weg ontdooit. Aan de randen blijft echter genoeg ijs over om ook weer naar huis terug te kunnen schaatsen. Ook op het schoolplein kan volop worden geschaatst, in de schaduw van de kerktoren. Niet omdat de brandweer water op het plein heeft gespoten, maar omdat de natuur zo vriendelijk is geweest om dit te doen.

Chaos regeert op de Nederlandse wegen. Er zijn veel ongevallen, de strooidiensten werken dag in dag uit. Een adempauze zit er niet in, want het ene 'dooifront' is nog niet weg of het volgende komt er alweer aan. Tussen de fronten door dooit het

overdag wel eens één of twee graden, maar in de nachten blijft het vriezen. De sneeuw- en ijzellaag weet zich moeiteloos te handhaven en de winterse ongemakken blijven. Uiteindelijk ligt er in een groot deel van Nederland tien tot twintig centimeter sneeuw, in delen van Drenthe en Groningen zelfs 35 centimeter. Limburg en delen van West-Nederland hebben minder dan tien centimeter.

'Definitieve dooi'

Na weer een ijzeldag wordt de 'definitieve dooi' aangekondigd. Als ik de volgende ochtend naar buiten kijk, verwacht ik dan ook natte straten en drab in de tuin en op de stoepen. Niets is minder waar! Het is helder en het vriest nog steeds. Onverwacht heeft zich boven Scandinavië een nieuw hogedrukgebied gevormd, lees ik later in het dagelijkse weerbericht van Hans de Jong. Het heeft de dooizone naar het zuiden teruggedrongen.

De winter houdt aan, ook in februari. Vanaf eind december ligt er al sneeuw in Garderen. Het wordt normaal. Het wordt ook normaal dat het steeds weer vriest. Het is zelfs bijzonder als het overdag een tijdje dooit. Soms ijzelt het of valt er een beetje sneeuw. Soms ook vriest het in de nachten dat het kraakt, als het even helder is en windstil. Veel vaker probeert de dooi in te vallen, is het bewolkt en grijs en vriest het maar net. Tot een echte doorbraak komt het echter niet. Het weerbeeld blijft winters. De groene kleuren in het land zijn en blijven schaars. De volgende 'definitieve dooi' dient zich rond 12 februari aan. Maar nu zal het dan ook echt definitief zijn, luiden de berichten. Vanuit het zuiden moet het gaan sneeuwen, daarna ijzelen en dan zal het toch echt voorbij zijn. Echt voorbij...
Op bezoek bij vrienden van mijn ouders in Nieuw-Milligen zie ik dat het inderdaad begint te sneeuwen. De wind trekt aan, de sneeuw stuift en het wordt dreigend wit buiten. De volgende ochtend heeft de zachte lucht gewonnen. Ik meet +10 °C op mijn huis-, tuin- en keukenthermometertje. Er staan grote plassen op de sneeuw en het voelt onwerkelijk warm en vochtig aan. Af en toe regent het. De winter is voorbij. Toch?
In het nieuws wordt verteld dat alleen het uiterste noorden nog in de vorst zit, met ijzel. Maar ook daar zal de winter snel verdwijnen. Na de zachte dag loop ik 's avonds nog een paar keer naar buiten. Het is hard gaan regenen, de druppen spatten in het licht van de auto's op de straat uiteen, zoals ze dat in de zomer zo mooi kunnen doen tijdens onweersbuien. Het is duidelijk geen 10 °C meer. Sterker nog, de temperatuur is alweer

De sneeuw slaat op 14 februari 1979 opnieuw onbarmhartig toe. Vooral het noorden lijdt onder een sneeuwstorm. Een automobilist in Veendam probeert zijn voertuig uit te graven. Eigenlijk heeft het geen zin.

Militairen aan het sneeuwruimen onder Leeuwarden, op 17 februari 1979. Met man en macht wordt geprobeerd de noordelijke provincies weer bereikbaar te krijgen.

Kinderen schaatsen op het door de ijzel van 21 januari 1979 tot een ijsbaan omgetoverde schoolplein, in de schaduw van de kerktoren in het Veluwse dorp Garderen.

Herinneringen uit Amstelveen
Tom van der Spek

De winter van 1978/1979 was misschien wel de mooiste die ik heb meegemaakt. Vooral de periode van 29 december 1978 tot en met 2 januari 1979 was bijzonder. Op 29 december werd het duidelijk dat Nederland in de vorst ondergedompeld zou worden. Die vrijdagochtend was het nog somber in Amstelveen en vielen er een paar buitjes. Bij een matige zuidwester was het zo'n 10 °C.

In het noorden van het land was de kou echter al ingevallen en ook in Amstelveen ging de wind halverwege de middag aarzelend om naar noordoost en begon het kwik te dalen. Om 19.00 uur was het nog maar 3 °C, en daarmee was het maximum van de volgende dag meteen bereikt! De volgende ochtend vroor het drie graden, viel er een enkel vlokje motsneeuw, maar had het 's nachts een beetje geijzeld. De windsnelheid kon niet meer worden afgelezen, omdat de anemometer zat vastgevroren. Echt doorzetten deed de sneeuw echter niet en het resultaat was dat het buiten wel 'wittig' werd, maar een écht sneeuwdek bleef uit. Het beetje sneeuw stoof door de straten en veel plekken bleven sneeuwvrij. Om 19.00 uur was het kwik gezakt tot -7 °C, het maximum van oudejaarsdag!

Toen ik op de vroege ochtend van oudejaarsdag (het was nog donker) de gordijnen openschoof, geloofde ik mijn ogen niet! Er woei een krachtige tot stormachtige noordooster, het kwik stond op -10 °C, het sneeuwde zwaar en het zicht was amper driehonderd meter! In de loop van de ochtend werd het droog, maar het bleef hard waaien en de temperatuur was -9 à -10 °C. Kort na het middaguur maakte ik met mijn vader een wandelingetje in de buurt, waarbij

foto's werden genomen. Sneeuwdikte meten was lastig. Op diverse plaatsen lag niets, op andere plaatsen lagen duinen van bijna 70 centimeter. Op sommige grasvelden deden windvlagen 'sneeuwduivels' van soms wel meer dan vijf meter hoogte opdwarrelen! Het was een berekoude, maar schitterende wandeling!

Allermooiste winterdag
Er volgde een steenkoude, maar zonnige nieuwjaarsdag. De daaropvolgende dag was de allermooiste winterdag die ik heb meegemaakt! In de vroege ochtend van dinsdag 2 januari vroor het elf graden en hing er een dichte mist. Het weerbericht sprak over een koude winterdag met langs de westkust een enkele sneeuwbui. Amstelveen ligt niet aan de kust, maar misschien zou ik nog een sneeuwbuitje mee kunnen maken... Hoe anders zou het lopen! In de loop van de ochtend trok de mist op en begonnen er een paar sneeuwvlokken te vallen, bij een flink aantrekkende wind uit zuidoost. Even later sneeuwde het fors – wat heet – bijna net zo hard als twee dagen daarvoor, al vielen er nu grote vlokken, in plaats van fijne sneeuw. Op het hoogtepunt van de bui besloot ik even een paar boodschappen te gaan halen. Voor het eerst (en het laatst) maakte ik mee dat ik in de grote Albert Heijn van Amstelveen de enige klant was! Op weg naar huis werd de sneeuwval weer minder.

Het werd droog, maar niet voor lang! Kort na het middaguur werd het opnieuw erg donker en opnieuw begon het zeer hard te sneeuwen, terwijl er ditmaal ook ijsregen uit de lucht viel. En dat niet alleen! Er volgden een paar felle bliksems en harde donders, en dat bij -6 °C! De wind bleef echter strak zuidoost en het kwik begon op te

lopen. Halverwege de middag was het -3 °C. In de namiddag, vlak voor het vallen van de schemer, besloot ik opnieuw een wandeling te maken. Het was onwerkelijk buiten. De verse sneeuwlaag dempte alle geluiden en de wind was plots vrijwel gaan liggen. De lucht zag er vreemd uit. Boven mijn hoofd leek een lichte cirkel te hangen, terwijl de hemel eromheen veel donkerder was. Toen ik terugliep naar huis werd de duisternis in het noordwesten steeds intenser en deze duisternis schoof snel naderbij! Binnen een paar minuten kwam vanuit die richting een muur van sneeuw opzetten. De wind draaide plotseling naar noord en nam toe tot stormachtig, waarbij het kwik daalde van -3 naar -7 °C.

Blizzard
De sneeuw viel zo dicht als ik nooit eerder had gezien of daarna zou zien. Zelfs de verlichte kerstboom voor het Cultureel Centrum aan de overkant van het plein (afstand hooguit honderd meter) was geheel onzichtbaar in de sneeuwjacht en de mensen in het bushokje op ongeveer dertig meter afstand waren vage, donkergrijze schimmen. Het verkeer kroop voort in de blizzard en kwam vervolgens nagenoeg tot stilstand. Vanuit de kamer zagen we buiten alleen maar wit, terwijl we normaal een weids uitzicht hadden tot Uithoorn. Na twintig minuten werd het droog. Buiten kon ik constateren dat er in die korte tijd maar liefst acht centimeter sneeuw bij was gevallen! Het totale sneeuwdek was gemiddeld gegroeid tot negentien centimeter. Deze hevige sneeuwval vormde het sluitstuk van het begin van de barre winter van 1979. Er zou later die winter echter nog genoeg stuntwerk volgen, en dat jaar kende Amstelveen zelfs op 2 mei(!) nog enige tijd zware sneeuwval.

Het begin van de winter 1978/1979 in Amstelveen. Terwijl de straten op oudejaarsdag schoon blijven, wordt de sneeuw tot duinen opgewaaid. Tom van der Spek kijkt toe.

Een graafmachine in Amstelveen is bezig sneeuw te ruimen tijdens de sneeuwstorm van 14 februari.

Het noorden van Nederland raakt tijdens de sneeuwstorm van 14 februari 1979 vrijwel van de buitenwereld afgesloten.

Mensen helpen een handje bij de voedsel-voorziening in het op 16 februari 1979 vrij-wel ingesneeuwde Groningse Ten Post.

tot 3 °C gedaald. Ik hoop op sneeuw. De volgende ochtend doe ik de voordeur open en pak de flessen melk, die de melkboer daar zoals altijd heeft neergezet, van de stoep. Ze blijken gedeeltelijk bevroren! Juichend ren ik naar mijn ouders. Het vriest weer! Het sneeuwt! Verbaasd gaan ze kijken of het waar is.

Sneeuwstorm

Dan volgt de sneeuwstorm van 14 februari. Ik vind het maar een rare dag. Het lijkt nauwelijks te sneeuwen. Het is alsof er voortdurend stuifsneeuw in de lucht hangt. Toch valt er echt sneeuw, want allengs wordt het dorp voor het verkeer opnieuw onbegaanbaar. Als ik van school naar huis terugloop, zijn ze midden in het dorp (op een kruising waar de bebouwing smal

Luchtfoto van een weg in Drenthe op 15 februari 1979, waar veel mensen hun auto's in een dikke sneeuwlaag hebben achtergelaten.

is en waar de wind vanaf een open veld vrij spel heeft) met een graafmachine bezig om de weg weer van sneeuw te ontdoen. Later trek ik met een paar vriendjes het buitengebied in om te kijken. De sneeuwduinen die we vinden zijn soms hoog genoeg om er tot je nek in weg te zakken. Vanboven zijn ze hard en lijk je erop te kunnen staan. Maar meestal zak je er dan doorheen. Een grote, open vlakte blijkt aan de westkant helemaal te zijn

leeg gestoven. Aan de oostkant ligt de sneeuw zo hoog dat we mensen moeten helpen hun auto weer uit te graven. Ongelooflijk!

Een groot deel van de sneeuw in het noorden van Nederland is stuifsneeuw die uit Duitsland afkomstig is. De sneeuw is daar op een beijzelde ondergrond gevallen en heeft daardoor geen

Luchtfoto van het geheel ingesneeuwde dorp Hollum op Ameland, genomen op 16 februari 1979.

Een boer in Harkstede (Gr.) giet de melk van zijn koeien in de sloot. Door het barre winterweer is afleveren er niet bij. De opslagtanks zitten vol.

enkel houvast en wordt met de stormachtige oostenwind naar Nederland geblazen.

In het nieuws gaat het die dag alleen maar over het noorden van het land. Ten noorden van de lijn Amsterdam-Harderwijk-Zwolle ligt het openbare leven stil. Het is een bizarre situatie. Heel anders in elk geval dan datgene waar we ons op hadden ingesteld. Voor mijn vader levert het barre weer heel wat hoofdbrekens op. Er zit een grote groep klanten in Friesland die dringend voer nodig heeft voor de dieren. Hij kan hen niet in de kou laten staan, vindt hij. Dus wordt er een actie op touw gezet.

Drie vrachtwagencombinaties, tot de nok toe gevuld met veevoer, trekken 's ochtends vroeg om drie uur naar het noorden. Met de boeren, die de posities kennen waar grote sneeuwduinen – tot soms wel zes meter hoog – de wegen naar hun boerderijen blokkeren, wordt afgesproken dat ze daar met trekkers klaar zullen staan. En dan zien ze wel hoe ver ze komen. Het

lukt tijdens een lange en zware dag uiteindelijk om alle klanten te bevoorraden. De reacties zijn enthousiast, mijn vader komt blij en tevreden terug. Niet alleen heeft hij zijn klanten uit de brand kunnen helpen, ook heeft hij een bizar winterlandschap gezien dat hij op dia's heeft vastgelegd. De plaatjes zien er bar en on-Nederlands uit.

De chaos in Noord-Nederland is compleet. Vooral in Friesland en Groningen raken hele gebieden van de buitenwereld afgesloten. Op diverse plaatsen valt de stroom uit, omdat hoogspanningsmasten omknakken onder druk van de wind en van de ijzel, die aan de sneeuwstorm zijn voorafgegaan. Op veel plaatsen kan een tijdlang niet meer gebeld worden. Het kost een dag of vier om het noorden weer enigszins bereikbaar te maken. Het leger wordt ingezet om wegen en opritten naar boerderijen weer sneeuwvrij te maken. Helikopters vliegen rond om vrouwen die op het punt van bevallen staan naar het zie-

Kinderen in het Groningse Wittewierum vermaken zich opperbest in de metersdikke sneeuw. Foto van 16 februari 1979.

Een achtergelaten en ingesneeuwde auto op de weg tussen Purmerend en Hoorn. Tijdens de sneeuwstorm van februari 1979 zijn ze bij tientallen zo terug te vinden.

kenhuis te brengen. Maar ook om melk op te halen bij boerderijen die langere tijd onbereikbaar zijn geweest en hun producten niet meer kwijtraken.

Na 18 februari, als de wind eindelijk gaat liggen en ijzel de bovenlaag van de sneeuw fixeert, verbetert de situatie geleidelijk. Toch duurt het nog lang voordat de winter er echt de brui aan geeft. Ik herinner me nog een ritje met mijn vader, over de kleine weggetjes in het Garderense buitengebied. Er is ijzel voorspeld, maar in werkelijkheid sneeuwt het een beetje. Veel belangrijker is de sterke toename van de wind. Opnieuw stuift de sneeuw over de velden en er vormen zich ook op de weg sneeuwduinen. Eerst gaan we er nog makkelijk doorheen, maar een stukje verderop zijn ze al veel hoger. We nemen een aanloop en rijden er zo hard als kan op in. Wild slingerend werkt de auto zich door de sneeuwmassa heen, komt bijna tot stilstand, maar gaat toch verder. Uiteindelijk redden we het net. Het zijn ritjes die een onuitwisbare indruk maken op iemand als ik die nog nooit een echte winter heeft meegemaakt.

De weg van Alkmaar naar Haarlem is dicht als gevolg van de sneeuwstorm van 14 februari 1979.

In de lente komt de dooi. Grote delen van Noord-Nederland krijgen met wateroverlast te kampen. Het smeltwater kan door de nog bevroren grond niet wegzakken. Dit is de polder bij het Groningse Boerakker op 5 maart 1979.

Restanten

Uiteindelijk komen de temperaturen dan toch boven het vriespunt. Heel langzaam dooit de sneeuw weg. Tot diep in het voorjaar vinden we echter nog steeds restanten van sneeuwduinen terug. Nog in mei of juni, wanneer het al lang weer warm is en de bomen volop in blad staan, vind ik onder een hoop bladeren die door de vele wind in de winter in een hoek van de tuin zijn opgewaaid, een sneeuwrestant terug. De grond onder de bladeren, die blijkbaar al die tijd perfect zijn blijven isoleren, is nog steeds bevroren.

Bij de eindafrekening blijkt de winter van 1979, de eerste strenge winter sinds 1963, de op vijf na koudste van de twintigste eeuw te zijn geweest, na die van 1963, 1947, 1942, 1940 en 1929, maar voor de winters van 1917, 1941 en 1956. Toch komt het niet tot ijspret op grote schaal en blijven schaatstochten uit. Door de vele sneeuwval is het ijs te slecht. Met behulp van groot materieel wordt wel geprobeerd om de route van de Elfstedentocht sneeuwvrij te maken, of het slechte ijs te schaven. Op veel plaatsen blijkt het ijs echter niet eens sterk genoeg. De machines zakken erdoorheen.

Wat zou er gebeuren als een winter als die van 1978/1979 zich vandaag de dag zou herhalen? In een land waar een dagje regen de totale lengte aan files al tot meer dan vijfhonderd kilometer kan laten oplopen, kun je je een dergelijke situatie – waarbij je werkelijk met weeralarmen om de oren zou worden geslagen – moeilijk voorstellen.

Hoe dan ook, die winter van 1978/1979 maakte grote indruk, zeker op de generatie die toen voor het eerst een strenge winter meemaakte. Voor hen is het een mijlpaal en de maatstaf waaraan alle winters daarna zijn afgemeten.

Met een ring van zandzakken proberen de bewoners van deze boerderij in het Groningse Westerkwartier zich tegen het wassende smeltwater te beschermen. Foto van 5 maart 1979.

De trein tussen Buitenpost en Grijpskerk rijdt weer op 16 februari 1979. Toch veroorzaakt de sneeuw nog veel overlast.

Een gezin uit het Groningse Wittewierum voor hun totaal ingesneeuwde woning, op 16 februari 1979.

Ook het culturele leven in Nederland lijdt onder het winterweer in januari 1979. Zo is deze voorstelling in de Stadsschouwburg in Amsterdam in verband met de barre weersomstandigheden afgelast.

Een volledig lee[r] gekochte super[markt] markt in Veend[am] op 15 februari 1979. Veel men[sen] zijn tijdens de sneeuwstorm v[óór] dat moment aa[n] het hamsteren geslagen.

In Amsterdam vriezen tijdens de sneeuwstorm van 14 februari 1979 wissels vast, waardoor trams blijven steken. Deze mensen moeten een vastgelopen tram uit.

De opbouw van het Hellmanngetal gedurende de winter van 1979. Zie voor uitleg de grafiek op blz. 17.

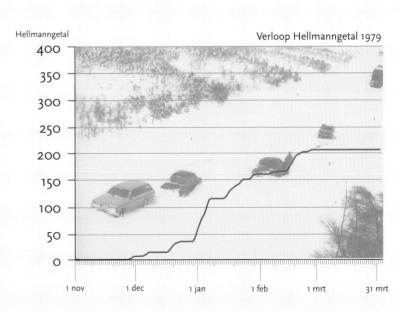

Hellmanngetal   Verloop Hellmanngetal 1979

400
350
300
250
200
150
100
50
0

1 nov   1 dec   1 jan   1 feb   1 mrt   31 mrt

IJsselmeer – Een barre tocht over het oneindige ijs

Aart Vierhout

Het zag er prachtig uit, die 26e januari 1979. Het zonnetje scheen, het had al weken gevroren en er lag overal dik ijs. Veel Nederlanders hadden 'ijskoorts' en het bruiste bij de diverse ijsclubs van de activiteiten. Op de grote meren slingerden lange linten van schaatsers door het witte landschap. Deze dag werd er een toertocht georganiseerd over het IJsselmeer, van Workum in Friesland naar Medemblik in Noord-Holland. De wind en de golven hadden ervoor gezorgd dat het ijs op sommige plaatsen glad was, elders grillig en vol scheuren. Toppunt van schoonheid waren de kistwerken, die ontstaan doordat ijs onder invloed van wind- en temperatuursveranderingen tegen elkaar opschuift.

Je krijgt niet vaak de mogelijkheid om over het IJsselmeer te schaatsen. Dus grepen Paul en ik die kans en we togen al vroeg die ochtend richting Workum. De weersverwachting was niet geweldig, maar dat hield ons niet tegen. De temperatuur was net onder nul, maar er was nog geen wolkje te bekennen.

In Workum bleek dat bij de voorbereidingen op 'it Soal' de trekker van Hisse Bremer door het ijs was gezakt en dat daarom de startplaats was verplaatst naar Stavoren. Het uitzicht was er geweldig: een prachtig wit sneeuwkleed over het IJsselmeer, zover het oog reikte. En mooie wolken, door de felle zon beschenen bloemkolen. In het westen tekende zich een grijze streep af tegen de horizon, maar die leek nog ver weg.

Om ongeveer 10.00 uur hadden we de schaatsen onder en reden we over de geveegde baan westwaarts. Het ijs was slecht en hier en daar moesten we klunen. Over de bredere scheuren had de ijsclub planken gelegd. Ondanks de straffe tegenwind en het matige ijs

Behalve schaatsers begeven zich vrij snel ook auto's op het ijs van de Gouwzee. Deze foto is van 27 januari 1979. Op de achtergrond het silhouet van Monnikendam.

waren de eerste tien kilometer goed te berijden. Af en toe schoof de zon weg achter een wolk en werd de lucht dreigend. We schoten lekker op en na een half uur was de Friese kust al ver weg. Voor en achter ons zagen we in een lang lint enkele honderden schaatsers, het gekras van de schaatsen op het ongelijke ijs was te horen. We reden kort achter elkaar. Regelmatig wisselden we van kop en we genoten van het eindeloze witte uitzicht.

Na ongeveer een uur verdween de zon en begon het licht te sneeuwen. De wereld veranderde. Het zicht nam af en het werd grijs om ons heen. Het geluid van de schaatsen werd gedempt door een dun laagje sneeuw op de geveegde baan.

De wind was toegenomen en het ijs werd slechter. De ijslaag was door het dunne sneeuwlaagje echter nog goed te zien en we konden nog steeds veilig, kort achter elkaar rijden. De snelheid liep wat terug en we moesten meer moeite doen om niet te vallen. De sneeuwvlokken werden steeds groter en het zicht werd slechter. De stokken die de route markeerden, stonden zo ver uit elkaar dat we moeite hadden de volgende te vinden. Opeens doemde er een groot grijswit obstakel op. Al snel bleek dat het een bijna twee meter hoog kistwerk was van wel twintig meter breed. Grote, grillige stukken ijs stonden schuin tegen elkaar opgedreven en de scherpe ijspunten priemden in de grijze lucht. We lieten het beeld even op ons inwerken en durfden niet dichterbij te komen om het beter te bekijken. Je weet namelijk nooit hoe het ijs onder de sneeuwlaag bij het kistwerk is. We besloten er met een ruime boog omheen te rijden. De sneeuw striemde in ons gezicht en van andere schaatsers was al lang niets meer te zien. Alle geluiden waren weggestorven en lang-

zamerhand hadden we het gevoel de enigen op het ijs te zijn. Pauls bril sneeuwde steeds dicht, waardoor zijn oriëntatie slechter werd. We besloten dat ik de kop zou nemen en dat we niet meer zouden wisselen. Gelukkig doemde al snel de volgende baanstok op. Het kostte ons inmiddels nog meer moeite om vooruit te komen. Het ijs was niet meer te zien en af en toe struikelden we. Om te voorkomen dat ik Paul tijdens een struikeling met mijn schaats zou raken, vergrootte hij de onderlinge afstand tot ruim een meter.

De geveegde baan was ondertussen geheel verdwenen en door het slechte zicht werd het bijna onmogelijk de volgende stok langs de route te vinden. Paul dreigde mij af en toe uit het oog te verliezen omdat hij door de zware sneeuwval mijn benen niet meer kon zien. Op dat moment bereikte ons een onbestemd gebrom, dat langzaam aanzwol tot het geluid van een auto. Rechts naast ons doemde een kleine pick-up op, waarvan de laadbak uitpuilde van de opgepikte schaatsers. Voor ons een welkom signaal dat we nog niet verdwaald waren. Het dringende verzoek van de chauffeur om mee te rijden sloegen we af. We vonden het een geweldige ervaring en afstappen doe je dan niet! Spoedig was de auto weer verdwenen, stierf het ronkende geluid in de verte weg en waren we weer alleen.

Na enige tijd was de sneeuwlaag zo dik geworden dat de schaatsschoenen vastliepen in de sneeuw. Schaatsen werd ploeteren. We vielen af en toe en rolden dan voorover in de zachte sneeuw, waardoor we nat en koud werden. We schoten zo slecht op dat we ons afvroegen hoe ver het nog zou zijn. Als het weer nog slechter zou worden, was de kans groot dat we Medemblik niet zouden vinden en we hadden geen idee hoe ver we nog moesten.

Inmiddels waren we ongeveer vier uur onderweg. Onze krachten namen af, maar we beseften dat we weinig keus hadden. We moesten doorgaan. Het schaatsen werd steeds moeilijker. Af en toe gleed het nog een beetje, maar vaak liepen we vast in de dikke sneeuwlaag en holden we struikelend verder. Mijn voeten gingen pijn doen en ik vermoedde dat ik blaren kreeg. Ook Pauls voeten deden pijn. We begonnen uit te zien naar de overkant.

Ongemerkt was het iets lichter geworden en hoewel de wind nog even sterk was, werd het sneeuwen minder. Eindelijk, na veel geploeter, doemde een havenhoofd op uit de grijze lucht en wisten we dat het leed snel geleden zou zijn. Na ongeveer tien minuten bereikten we over de uitgestorven en troosteloos uitziende haven strompelend de kade van Medemblik. Een controlepost was niet te zien. Na onze schaatsen uitgedaan te hebben, liepen we op onze sokken naar de dichtstbijzijnde kroeg. Binnen bleek de zaak afgeladen te zijn met schaatsers. Het was tjokvol, het rook er naar zweet, maar er was in ieder geval warme punch, de schaatsdrank bij uitstek. Nadat ik bijgekomen was, deed ik mijn sokken maar uit: mijn voeten zagen er niet uit en het bloed zat in mijn schaatsschoenen. Ik trok mijn sokken maar weer snel aan.

Daar zaten we dan, warm, voorzien van eten en drinken maar met zere voeten, zonder schoenen, ver van onze auto en met buiten slecht weer. Het was duidelijk dat we niet over het ijs terug konden. We vroegen ons af hoe we weer in Friesland kwamen.

Ondertussen had Paul kans gezien in de buurt een paar ouderwetse pantoffels te kopen. Na ongeveer anderhalf uur vernamen we dat de ijsclub een bus had geregeld om de gestrande schaatsers terug naar Friesland te brengen, maar

die kon de Afsluitdijk niet over vanwege de gladheid. De sneeuw was namelijk overgegaan in ijzel.

We doodden de tijd met het eten van warme kroketten, het drinken van warme chocolademelk en het vertellen van sterke ijsverhalen. Hoewel de kroegbaas ervoor zorgde dat het ons aan niets ontbrak, verlangden we langzamerhand naar huis.

Toen we ongeveer vijf uur later met de bus op weg gingen naar Stavoren, was het al donker. We verheugden ons op onze thuiskomst en op een warm bad. In de bus hoorden we dat de organisatie zich gelukkig over onze schoenen, die langs de IJsselmeerkust in Stavoren waren blijven staan, ontfermd had. In Stavoren bleken ze in de kofferbak van een oude Opel Rekord te zitten. Er was echter één probleem: niemand wist waar de sleutels daarvan waren.

Uiteindelijk kregen we onze schoenen terug. We waren een mooie ervaring rijker en de kastelein in Medemblik had een topdag gehad.

Elfstedentocht

Hij komt, of niet, of wel, of... enzovoorts,

maar Friesland wrijft zich nú al in de handen,

van Snits tot Ljouwert hoor je klappertanden

van barre kou en van elfstedenkoorts.

Us heitelân is weer eens in de ban

van bloed en zweet en dichtgevroren ogen,

de supertest van menselijk vermogen

en wordt daar reuze zenuwachtig van.

Enfin, ze doen maar... Ik blijf lekker thuis,

ik bibber bijgeval wel voor de buis.

Jan Boerstoel

De ontberingen zijn deze deelnemer aan de
Veluwemeertocht (203 km) van 17 januari
1985 na afloop duidelijk aan te zien.

De winters van de jaren tachtig

Elfstedenkoorts loopt keer op keer hoog op

Tom van der Spek

Na de barre winter van 1979 volgde een serie zachte winters, alleen de winter van 1982 was koud. December 1981 bracht onvervalst winterweer en leverde de laatste landelijke witte kerst op, al is het daarna regelmatig voorgekomen dat er in delen van het land met kerst sneeuw lag. Al voor oud en nieuw viel de dooi in, maar januari leverde nog een prachtige vorstperiode op. Even liep de Elfstedenkoorts hoog op, maar invallende dooi op 16 januari maakte aan alle schaatspret een eind. Nederland zou echter niet lang hoeven te wachten op de volgende strenge winter: vanaf 1985 volgden er weer een paar.

De NS zet in januari 1985 locomotieven met sneeuwschuivers in om de trajecten sneeuwvrij te houden.

Het station in Alkmaar na zware sneeuwval in januari 1985.

Een auto is door hevige sneeuwval in de sloot geraakt in de buurt van Aalsmeer. De politie helpt mee de bestuurder uit zijn benarde positie te bevrijden.

De winter van 1985

De winter van 1985 begon de eerste dagen van januari. In de middag en avond van 3 januari sneeuwde het fors en daarna viel de vorst definitief in. In de nacht van 4 op 5 januari kwam het vrijwel in heel het land tot strenge of zeer strenge vorst, zelfs in delen van Zeeland. In Deelen werd -19,2 °C gemeten en aan de grond -21,3 °C, en in St. Maartensdijk aan de grond zelfs -23,0 °C.

De ijskoude lucht die met een oostnoordoostenwind over de relatief warme Noordzee streek, pikte daar vocht op, zodat er talrijke zware sneeuwbuien ontstonden. Deze trokken vooral naar Oost-Engeland, maar ook het westelijke Waddengebied kreeg nog een flinke veeg mee. Vlieland en Terschelling sneeuwden onder en uiteindelijk lag er op de ochtend van 8 januari op de Vliehors zo'n halve meter sneeuw!

Zondag 6 januari was er in het hele land sprake van veel wind en stuifsneeuw, zodat het zinloos was om de wegen te strooien en men maar op schuiven overging. Toen er ook in de namiddag een stormachtige wind opstak en het zicht door een combinatie van sneeuwval en stuifsneeuw tot minder dan honderd meter werd gereduceerd, kwam het verkeer nagenoeg tot stilstand. Gelukkig was het een zondag!

Er volgde een prachtig zonnige maandag. De wind viel weg en we konden ons opmaken voor een recordkoude nacht, waarbij het kwik uiteindelijk in het binnenland op meerdere plaatsen onder de -20 °C zakte. Deelen kwam tot -24,2 °C en aan de grond werd het -27,2 °C, maar dat was niet het koudste plekje. Op de Rhederheide werd door weeramateurs een mobiele weerhut geplaatst en op 7 januari werd daar -27,3 °C afgelezen en aan de grond -32,0 °C, een officieus Nederlands record. De volgende dag viel er opnieuw een pak sneeuw en werd het duidelijk dat de NS vanwege het winterweer steeds meer moeite had het materieel aan het rollen te houden. Veel wissels waren bevroren en/of dicht gestoven met sneeuw en vooral de oude treinen, de zogenaamde 'hondenkoppen', hadden problemen. De schuifdeuren gingen soms niet dicht, doordat zich stuifsneeuw in de deurkasten verzamelde. Op 9 januari moesten zelfs 120 defecte treinstellen in de remises blijven. Opvallend was dat het wegverkeer zich goed aanpaste aan het winterweer. Er stonden soms zelfs minder files dan normaal.

Een politieman en een helper zetten een stuk ijs in Haarlem af. Het ijs is er niet betrouwbaar, schaatsers mogen er niet overheen.

De vraag naar sokken tijdens de winter van 1985 wordt zo groot dat een curator van een failliete sokkenfabriek er brood in ziet de productie te hervatten.

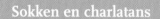

Achter deze 3 meter hoge berg met ijs is nog net de vuurtoren van Marken te zien. De vuurtoren loopt op dat moment geen gevaar.

Sokken en charlatans

Het winterweer veroorzaakte een miljoenenschade in de bouw vanwege vorstverlet en groente werd schreeuwend duur. Sommige bedrijven sponnen echter garen bij het winterweer. De failliete sokkenhandel Jansen de Wit uit Schijndel riep een aantal medewerkers op om de productie opnieuw op te starten. Vanwege de koude was de vraag naar sokken explosief gestegen. Volgens de curator van het bedrijf was er weer sprake 'van een goed gevulde orderportefeuille'.

Niet alleen in Nederland, ook elders in Europa heerste bar winterweer. Tijdens een uitzending van het KRO-programma *Echo* op 9 januari beweerde een charlatan dat het binnenkort veertig graden zou gaan vriezen en dat het kwik in Siberië tot negentig graden onder nul zou dalen. Hierdoor zouden er grote volksverhuizingen op gang komen, zo hadden stemmen hem ingefluisterd. Naar aanleiding van deze uitzending kreeg het KNMI veel telefoontjes van ongeruste luisteraars.

Elfstedenkoorts

Ondertussen gingen de scherpste kantje van de kou eraf. De sneeuwstoring van 8 januari bracht eventjes dooi, een volgende bracht op 12 januari wat sterkere dooi, maar ook nu keerde de vorst snel terug. Vanwege de felle vorst steeg de Elfstedenkoorts tot een hoogtepunt. Even leek het erop dat de tocht al op 14 januari gereden kon worden, maar de sneeuw en lichte dooi waren spelbrekers. Toen daarna de vorst terugkeerde, leek het pleit beslecht. Op 18 januari kopte de *Leeuwarder Courant:* 'It sil heve!' Op woensdag 23 januari zou de tocht worden verreden, mits het niet zou gaan dooien. Maar dat gebeurde juist wel. Al op dezelfde dag dat de definitieve datum voor de Elfstedentocht was vastgesteld, werd het duidelijk dat de vorst op maandag verdreven zou worden.

Het KNMI kwam tot een opmerkelijke actie. In de weerberichten werd namelijk nog geen gewag gemaakt van dooi, hoewel deze al wel werd verwacht! De weerkaarten lieten namelijk vrijdag al zien dat op maandag 21 januari de vorst verdreven zou worden, maar meteorologen in De Bilt leefden zó mee met alle schaatsliefhebbers, dat ze deze info nog een dag voor zich hielden in de hoop dat de weerkaarten de dag erop, zaterdag, toch nog om zouden gaan en de vorst zou voortduren. Dat gebeurde dus niet.

Op zondag 20 januari moest het Elfstedenbestuur, terwijl het buiten nog flink vroor, de tocht afgelasten. De volgende dag kwam de dooi inderdaad, nogal geruisloos. Geen hevige sneeuwval of grootschalige ijzel, niets van dat alles. Heel

schaatsminnend Nederland bleef met een enorme kater achter. Zelf had ik als jochie van zeven Reinier Paping onder barre omstandigheden de Elfstedentocht van 1963 zien winnen, bij mijn oma op een zwartwit-toestelletje, waar toen de hele familie om geschaard zat. En nu dit fiasco! Ik was de hele dag uit mijn hum.

Maar wat niemand verwachtte, de winter kwam terug! Na twee weken dooi kwam Nederland opnieuw in de greep van de vorst. Eerst verliep het proces geleidelijk en mede hierdoor hadden diverse weermodellen moeite met de situatie. Op teletekst werd de ene dag vorst in het vooruitzicht werd gesteld en een dag later dooi! Uiteindelijk kwam de vorst als overwinnaar uit de bus, nadat op vrijdag 8 februari een storing vanuit het zuiden nog sneeuw bracht, maar stukliep boven Midden-Nederland.

De volgende dagen kon men op het NOS-journaal zien dat verkeer in Limburg vrijwel onmogelijk was, doordat de stevige oostenwind daar steeds opnieuw sneeuwduinen opwierp. Ten zuiden van de grote rivieren lag er een dik pak sneeuw en ten noorden ervan weinig of niets. In het noordoosten werd de hemel zelfs regelmatig flink verduisterd doordat stof en fijn zand van de gevriesdroogde akkers opwoei. Auto's moesten met koplampen aan rijden en lokaal liep het zicht terug tot een paar honderd meter. Hier en daar verpestte het stuivende zand het ijs behoorlijk. Toch was het aanhouden van het droge weer hét geluk voor de Elfstedenliefhebbers.

Er volgden een paar nachten met strenge vorst en het ijs kon

Henk Kroes (ijsmeester) en ir. Jan Sipkema (voorzitter) van de vereniging Friesche Elf Steden bij het bord met daarop de route van de Elfstedentocht, die in de winter van 1985 pas veel later zou worden gehouden.

Op het Elfstedentraject is het ijs op 17 februari erg zacht. Geschaatst wordt er dan ook nauwelijks. Fietsen over het ijs lukt wel. Foto genomen in de buurt van Harlingen.

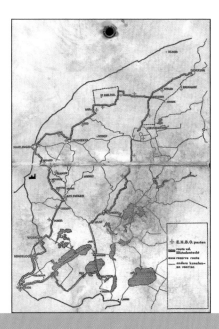

Elfstedenkaart Aart
Vierhout.

Van de spirituele Ganges pijlsnel naar het Friese ijs: de Elfstedentocht door Engelse ogen

Reinout van den Born

Het zal je maar gebeuren als schaatsfanaat: sta je bij de Ganges in India te kijken naar hindoes die zich bij het krieken van de ochtend ritueel wassen in het water van de rivier, blijkt in Nederland voor het eerst in 22 jaar tijd de Elfstedentocht te worden gereden. Het overkwam de Britse journalist Ken Wilkie op 14 februari 1985. In een café viel zijn oog op een klein berichtje in *The Times of India*: '124-mile skating race through 11 cities to be held this week in the Netherlands for the first time in 22 years.'

Wilkie baalde meteen dat hij in India zat. Spoorslags reisde hij af naar Nederland. Hij had geluk, want in de tussentijd werd de Tocht der Tochten nog een keer uitgesteld. Als nieuwe datum werd 21 februari geprikt. En toen stond Wilkie in Friesland paraat. Dol gemaakt door de gekte van toen, was hij er die ochtend vroeg bij. In de veronderstelling al niet meer bij het ijs te kunnen komen, reisde hij in het pikkedonker van zijn slaapadres in Makkum naar het nabijgelegen Workum, van waar hij samen met de Nederlandse fotograaf Eddy Posthuma de Boer verslag zou doen van het middendeel van de tocht: Wilkie op de schaats, Posthuma de Boer langs het parcours. Natuurlijk stond in Workum nog niemand bij het ijs. Iedereen had de tv aan en wachtte op de passage van de wedstrijdrijders.

Toen de wedstrijdrijders voorbij waren en het peloton toerschaatsers begon binnen te lopen, waagde ook Wilkie zich – onwennig – op het ijs. Het dooide inmiddels, zoals bekend, en hij was veel te warm gekleed. Bijna bezwijkend onder het gewicht aan wol dat hij met zich meetorste, werd de Britse journalist een makkelijke prooi voor vrijwel het gehele peloton dat hem achterop

kwam. Desondanks schaatste hij door tot in Franeker, terwijl hij steeds meer onder de indruk raakte van dit ijsspektakel. Zijn verhaal bevat af en toe hilarische passages. De eerste die hij op het ijs inhaalde – tot grote vreugde van zichzelf – bleek een man te zijn die zich lopend voortbewoog. Onderweg viel hij vele malen en hij werd even zovele keren weer door mensen langs het ijs op de been geholpen, die ook deze 'vreemdeling' naar de finish probeerden te schreeuwen.

Toen Wilkie last kreeg van zijn rechtervoet en een rustpauze inlaste, ving een Friese toeschouwer hem op. Hij gaf de onfortuinlijke journalist een wondermiddel mee: Friesche Berenburg. Dat zou hem zeker verder helpen. En de Berenburg hielp hem verder! Een paar glazen verder merkte Wilkie niets meer van de pijn in zijn voet. Maar hij kwam door het drankje ook in hogere sferen.

Terwijl hij in gedachten bezig was een wereldtop te organiseren in het verijste Friesland, met niets minder dan de wereldvrede als inzet, raakte hij al slingerend in de kakofonie van het knotsgekke Franeker verzeild, waar zijn vermoeide benen het uiteindelijk begaven. Zijn fotograaf plukte hem van het ijs en maakte een einde aan dit bizarre avontuur.

Onder de indruk van de nationale saamhorigheid waarmee het evenement volgens hem was omgeven, kwam Wilkie tot een mooi slotwoord. 'De Elfstedentocht 1985 was letterlijk een van de hoogtepunten uit mijn leven. Misschien duurt het wel 20 jaar voordat er ooit weer een wordt gereden. Maar rond 2005 moet ik toch in een veel betere vorm zijn dan nu.'

Inmiddels zijn we twee tochten verder. Maar of er ooit nog een Elfstedentocht zal worden gehouden, is de vraag.

snel aangroeien. Wel deed overdag de al fors in kracht toegenomen zon zijn werk. Maar zou het toch nog lukken? Op 16
februari meldde ir. Sipkema dat er echt nog vier nachten met
strenge vorst nodig waren. De weersverwachtingen waren
gunstig, maar een kleine storing veroorzaakte op 16 februari
tijdelijk een forse dooi, er werden zelfs maxima van boven de
5 °C gemeten!

De Elfstedentocht van 1985

Op 17 februari werd dan ook, tot grote teleurstelling van iedereen, gemeld dat de tocht op woensdag 20 februari geen door-
gang kon vinden. De winter balde echter nog eenmaal zijn
vuisten, lokaal kwam het in de nacht van 19 februari tot zeer
strenge vorst, aan de grond werd lokaal -20 °C gemeten. Tot
ieders verrassing werd de avond daarvoor al besloten dat op
donderdag 21 februari de Elfstedentocht tóch gereden zou

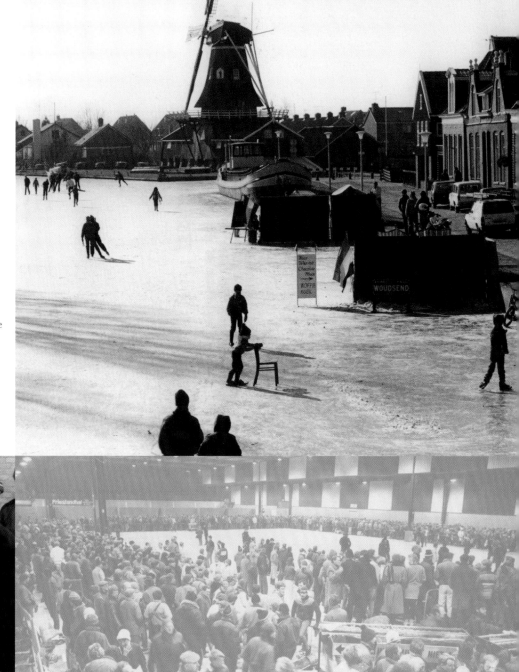

Twee dagen voor de
Elfstedentocht van
1985 staat de koek-
en-zopie-tent in
Woudsend al klaar.
Het ijs ligt er rede-
lijk goed bij.

Duizenden mensen staan in de
Frieslandhallen in Leeuwarden in de rij om
zich in te schrijven voor de Elfstedentocht
van 1985.

worden, wellicht ingegeven door het feit dat op de 18 februari met veel succes de Elfmerentocht was gehouden, die als voorloper van de Elfstedentocht werd gezien.

Het was op het nippertje. Juist op 21 februari begon het licht te dooien, maar het ijs was sterk genoeg, hoewel er wel veel kluunplekken waren. Vooral de laat gestarte toerrijders werden geconfronteerd met veel water op het ijs en sommigen moesten vroegtijdig het ijs verlaten omdat het te gevaarlijk werd. Heel Nederland zat voor de buis. De NOS verzorgde voor het eerst een integrale uitzending, die meer dan achttien uur duurde. Miljoenen Nederlanders zagen hoe Evert van Benthem als eerste de streep in Leeuwarden passeerde en hoe vermoeide toerrijders zich soms vele uren later over dezelfde streep worstelden en vlak daarachter het ijs kusten... Met deze grandioze happening werd meteen ook een streep onder de winter gezet.

Als gevolg van de dooi hebben de schaatsers tijdens de Elfstedentocht van 1985 veel last van water op het ijs. In Harlingen wordt een motorveger ingezet om de allerergste overlast tegen te gaan.

Deelnemers aan de toertocht van de Elfstedentocht van 1985 gaan in alle vroegte van start in Leeuwarden.

Honderden toerschaatsers passeren Harlingen tijdens de Elfstedentocht van 1985.

Evert van Benthem gaat in Leeuwarden, op het door de dooi van die dag nat geworden ijs, als winnaar over de streep van de Elfstedentocht. Jan Kooiman, Henri Ruitenberg en Jos Niesten hebben het nakijken.

Ir. Jan Sipkema, voorzitter van de Friesche Elf Steden, eert winnaar Evert van Benthem van de Elfstedentocht van 1985, temidden van een uitbundig publiek. Koningin Beatrix, premier Ruud Lubbers en Commissaris der Koningin in Friesland Hans Wiegel kijken toe.

In Harlingen wordt tijdens de Elfstedentocht van 1985 een stempelpost verplaatst. Door de dooi is er te veel water op het ijs gekomen.

De winter van 1986

De winter die volgde was de vorst er vroeg bij, in november. De eerste winterse buien bereikten ons op zondag 10 november met stormvlagen en sneeuwval. De rest van de maand zou het kwik in het algemeen onder de 5 °C blijven en zowel 19 als 20 november bleef het de hele dag vriezen. Het was bewolkt en er viel lichte sneeuw, die door een harde oostelijke wind over het landschap joeg. Kortom, het was écht winter.

Het barre weer kreeg nog een vervolg gedurende de ochtend van 28 november, toen een zone met zware sneeuwbuien en hevige windstoten het land binnentrok. Vooral in Friesland, maar ook in delen van Noord-Holland en Groningen, viel er vijf tot ruim vijftien centimeter sneeuw en kwam de ochtendspits vrijwel tot stilstand. De winter zette echter niet door. In januari draaide de wind naar oostelijke richtingen om tot in maart overheersend daarvandaan te blijven waaien! Eerst voerde die wind niet echt koude lucht aan, maar geleidelijk duikelde het kwik en uiteindelijk volgde een van de koudste februarimaanden van de twintigste eeuw! Behalve koud was de maand ook kurkdroog. Het sneeuwde regelmatig, maar die sneeuw verdween soms binnen enkele uren alweer. De maand leidde tot meerdere records. In De Bilt werd het hoogste maximum van 3,7 °C al op de eerste dag van februari bereikt en alleen in februari 1947 was dat met 1,9 °C lager gebleven.

Door het nevelige Friese land gaan de deelnemers aan de toertocht van de Elfstedentocht in 1985 naar Leeuwarden.

Vrachtschip de Animo boort zich een weg door het ijs van het Noord-Hollands Kanaal in februari 1986.

Na de eerste februariweek nam de kou snel in hevigheid toe. Op zondag 9 februari kwam het kwik op sommige plaatsen in Limburg niet boven -9 °C uit. Vanwege deze kou liepen er in de diverse optochten geen muzikanten mee met blaasinstrumenten.

De Elfstedentocht van 1986

De aanhoudende vorst deed al snel speculaties de kop opsteken dat het opnieuw tot een Elfstedentocht zou komen. Maar zodra het ijs op sterkte dreigde te komen, sloop het woordje 'dooi' opnieuw in de weersverwachtingen. Juist toen het echter duidelijk werd dat deze dooiaanval er niet zou komen, meldde ir. Sipkema dat 'gezien de verwachting dat er dooi op komst is, er dit winterseizoen géén Elfstedentocht meer gehouden kan worden'. Het was zonneklaar dat het Elfstedenbestuur door de meteodienst van Leeuwarden verkeerd was ingefluisterd, wat door weerman Hans de Jong op Teletekst 'de uitglijder van het jaar' werd genoemd.

Voorafgaand aan de Elfstedentocht van 1986 is het ijs in Hindeloopen nog onbetrouwbaar.

IJsmeester Henk Kroes (links en met peilstok) laat zich op 19 januari 1986 op de hoogte stellen van de ijstoestand bij Vrouwenparochie.

Klunen in Kimswerd met onder anderen Evert van Benthem.

Een van de deelnemers aan de Elfstedentocht van 26 februari 1986 is kroonprins Willem-Alexander, die ingeschreven staat onder de naam W.A. van Buren.

De koudste dagen van deze vorstperiode moesten nog volgen. Het *Friesch Dagblad* kopte: 'Alleen bij een Siberisch wonder nog een Elfstedentocht.' Maar dat wonder geschiedde. Er volgden vier nachten met strenge, lokaal zeer strenge vorst, óók in Friesland, en overdag bleef het vriezen, ondanks felle zonneschijn. Op zondag 23 februari viel de beslissing: op woensdag 26 februari zou de tocht verreden worden.

Het werd een prachtige Elfstedentocht met, in tegenstelling tot het jaar daarvoor, onvervalste winterse omstandigheden. In de vroege ochtend en late avond vroor het streng en in de middag, bij een fel schijnend winterzonnetje en weinig wind, enkele uren licht. Opnieuw was het Evert van Benthem die won en verder was het een echte feestdag voor de vele toerrijders die onder vrijwel ideale weersomstandigheden de tocht konden volbrengen.

Een bijzondere deelnemer verdiende extra aandacht, namelijk de toerrijder Willem van Buren. Hij volbracht de tocht en werd bij de finish in Leeuwarden door zijn trotse ouders opgewacht, te weten koningin Beatrix en prins Claus! Het was namelijk kroonprins Willem Alexander, die onder een schuilnaam de Elfstedentocht reed!

Schaatsminnend Nederland was geheel tevredengesteld en na de Elfstedentocht was de mening dat de dooi nu rustig kon invallen. Na nog een ruime week met droge vorst gebeurde dat uiteindelijk op 4 maart. Maar zoals eerder die eeuw in de jaren veertig, bestond het winterweer ook ditmaal uit drie afleveringen...

Luchtfoto van de stempelplaats Stavoren tijdens de Elfstedentocht van 1986.

Evert van Benthem wint de Elfstedentocht van 1986.

Zware sneeuwover-
last in Ballum op
Ameland in januari
1987.

De bemanning van de IJmuiden 44 probeert
haar schip weer ijsvrij te krijgen. De strenge
vorst van dat moment bemoeilijkt hun werk
ernstig.

De winter van 1987

In december 1986 bleef het winterweer beperkt tot de oostelijke
helft van het land, en dan alleen de periode van 20 tot en met
26 december. Terwijl het in het westen op eerste kerstdag pij-
penstelen regende, beleefde het oosten een prachtige witte
kerst met urenlange fikse sneeuwval, met tot vijftien centimeter
sneeuw. Na een paar kwakkeldagen viel de dooi nog voor de
jaarwisseling overal in.

Januari begon zacht, maar na de eerste week werd het kouder
en op 9 januari viel de vorst definitief in. Op zaterdag 10 januari kwam het kwik overdag niet hoger dan -6 °C. Hogerop in de
atmosfeer was het zo koud dat het uit ondiepe overtrekkende
wolken voortdurend licht sneeuwde. De dagen daarna zou de
kou snel toenemen en net als twee jaar eerder zorgde deze
diepvrieskoude lucht ervoor dat de Noordzee als het ware ging
'koken' en zware sneeuwbuien opwekte. Deze schampten de
Waddeneilanden en veroorzaakte daar sneeuwstormachtige
toestanden. Op alle Waddeneilanden, Texel uitgezonderd,
kwam een sneeuwdek van minstens twintig centimeter te liggen, hier en daar zelfs het dubbele. Soms was het zicht door
een combinatie van stuifsneeuw en een harde wind zeer
beperkt en konden alleen voertuigen met rupsbanden hun weg
nog vinden. Op Ameland leek het op 14 januari wel op het
barre weer van rond 15 februari 1979. Sommige boerderijen
zaten tot het dak in de sneeuwduinen begraven, die hier en

daar een hoogte bereikten van drie meter!
14 januari 1987 was een van de koudste dagen van de eeuw en
is later als norm gebruikt door de Gasunie: ook bij deze
omstandigheden zou Nederland van gas moeten kunnen worden voorzien. In één dag tijd vormden zich dikke plakkaten ijs
op de Rijn. Frappant was dat de temperatuur overal op de
Britse Eilanden onder nul bleef.

Niet alleen in het noorden, overal in het land was er sprake
van bar winterweer. De oostelijke wind was krachtig tot stormachtig en tot diep landinwaarts kwamen er windvlagen voor
van stormkracht. En dat bij temperaturen die in de vroege
ochtend op de koudste plekken in het binnenland rond de
-17 °C lagen en overdag, ondanks felle zonneschijn, in het
grootste deel van het land niet hoger kwamen dan -9 °C tot
-12 °C. In combinatie met de sterke wind was het voor het
gevoel gruwelijk koud; er werden gevoelstemperaturen berekend van -40 °C. Dit was kou van een andere orde. Dat bracht
het KNMI ertoe in de avond een waarschuwing te doen uitgaan, een voorloper van het tegenwoordige weeralarm.
Aangeraden werd, gezien de felle kou, binnen te blijven. De
waarschuwing kwam in feite één dag te laat, maar was ook
voor de volgende dag zeker nog van toepassing. Het aardige
is dat deze waarschuwing nadien nooit werd ingetrokken en
daarom formeel nog steeds van kracht is!

Duizenden schaatsers doen mee aan toertochten over de Gouwzee, tussen Marken, Monnikendam, Volendam en Edam.

In het noorden van Nederland ontstaat begin maart 1987 grote overlast als gevolg van hevige ijzel. Veel hoogspanningsdraden breken af, hele gebieden komen voor langere tijd zonder stroom te zitten.

Vorstschade

Inmiddels was er sprake van een behoorlijke vorstschade. De wegenwacht draaide overuren. Veel autoaccu's begaven het en automobilisten werd dan ook aangeraden om uit voorzorg een paar dekens mee te nemen. Waterleidingen vroren kapot en ook het treinverkeer kampte met de bekende problemen van bevroren wissels en treinkoppelingen. Sommige bomen werden door de vorst gespleten en vertoonden scheuren van wel zes meter lengte en vijf centimeter diepte. Zelfs op de Nieuwe Waterweg kwam het tot ijsvorming, wat daar maar zelden voorkomt.

Na deze felle kou op 14 en 15 januari bleef het flink vriezen, maar er volgde een geleidelijke kentering. Het raakte bewolkt en de vorst temperde. Uiteindelijk trad op 22 januari de dooi in. De Elfstedenaspiraties konden daarmee in de ijskast worden gezet.

Eind januari keerde de winter echter terug: drie zonnige winterdagen op rij met 's nachts lokaal strenge vorst en maximumtemperaturen rond het vriespunt. Ook de eerste twee februaridagen leverden dit weerbeeld op. Daarna werd het bewolkt en op 3 februari werd het lokaal spiegelglad door ijzel. Fietsers en voetgangers gleden uit, met de nodige botbreuken tot gevolg, en er vonden talrijke aanrijdingen plaats.

IJzig spektakel in het voorjaar

Daarna volgde een periode met dooi, maar halverwege de maand werd het opnieuw kouder, zonder dat de vorst inviel. Op 15 en 16 februari sneeuwde het echter langdurig in het zuidoosten van het land en vooral in Limburg kwam er een flink pak sneeuw te liggen. In de Zuid-Limburgse heuvels was het helemaal raak. Die zondag was het gebied herschapen in 'Klein Zwitserland'. Er lag meer dan twintig centimeter sneeuw en langlaufers kwamen volop aan hun trekken. De dagen erna veranderde dat beeld niet, want nieuwe sneeuwgebiedjes trokken vooral over het zuidoostelijke deel van het land. Uiteindelijk was het sneeuwdek op 21 februari in Zuid-Limburg opgelopen tot iets boven de dertig centimeter. De laatste februaridagen smolt dat grotendeels weg. De winter had voor maart echter nog een stukje vuurwerk in petto.

Op zondag 1 maart lag Nederland grotendeels in de zachte lucht, op veel plaatsen werd het 10 tot 12 °C en het regende flink. In het uiterste noordoosten was het echter een stuk kouder en daar daalde het kwik aan het begin van de avond tot onder het vriespunt, terwijl het bleef regenen. IJzel was het gevolg. De hele nacht zou het in Groningen blijven ijzelen, terwijl het kwik langzaam daalde. In de nanacht begon de neerslag in ijsregen over te gaan, terwijl de ijzelzone geleidelijk ook Drenthe en het noordoosten van Friesland veroverde. Al snel werd de toestand in het noordoosten van het land precair. Alles werd bedekt onder een dikke ijslaag, die de wegen onbegaanbaar maakte, terwijl boomkruinen onder de last van het ijs ombogen tot ze de grond raakten of afknapten. Ook hoogspanningsmasten en -draden werden ingekapseld door het ijs en sommigen begaven het ook. In de loop van de ochtend kwam het openbare leven in het noordoosten nagenoeg geheel tot stilstand. Op gemeentehuizen werden noodscenario's uit de kast getrokken en Radio Noord bleef de hele dag in de lucht. Ondertussen was er in de rest van het land weinig aan de hand. Het dooide en regende flink, maar in de loop van de middag won de vrieslucht langzaam maar zeker terrein. Aanvankelijk ging het proces zeer langzaam en bleven de winterse ongemakken beperkt tot de drie noordoostelijke provincies, hoewel de situatie in Noordoost- en Zuidwest-Friesland ver uiteenliep, wat ook gezegd kon worden van Noord- en Zuid-Drenthe. De stagnerende koude lucht zorgde ervoor dat in een strook over het noorden van Drenthe naar het zuidwesten van Groningen de meeste ijzel viel. In een groot deel van

Drenthe werden veel bomen (in sommige gebieden zelfs negentig procent) licht tot zwaar beschadigd. In bosrijke gebieden kwam het verkeer op de spiegelgladde wegen in levensgevaarlijke situaties terecht, waar bovendien ijsbrokken en afknappende takken naar beneden stortten.

John Bernard belde al vroeg op de ijzeldag naar de NOS om ze erop attent te maken dat er in het noorden van het land spectaculaire beelden te schieten waren. De cameraploegen gingen meteen op weg. Wat John wel wist, maar veel Nederlanders niet kregen te zien, was dat de toestand verder naar het noorden en oosten veel erger was. De cameraploegen waren namelijk niet al te ver het ijzelgebied binnengereden, bang om niet meer tijdig met het gefilmde materiaal terug te kunnen keren naar Hilversum!

In het noordoostelijke deel van Groningen was het een tikje minder glad geworden, omdat de ijzel daar al vrij snel in ijsregen was overgegaan. Door de harde oostzuidoostenwind verstoven de ijskorreltjes daar en vormden duintjes. Hoe moest

Poollandschap op de Waddenzee

Joost Wäckerlin maakte in januari 1987 een ijzige overtocht over een met ijs bedekte Waddenzee naar Ameland. Ameland zelf bevond zich op dat moment in de winterse greep van sneeuw en wind. Op de Noordzeestranden lagen grote, bruine ijsbergen, ontstaan door de Noordzeebranding. De Waddenzee zelf was voor een belangrijk deel dichtgevroren. Het zijn beelden die we van de laatste 10 jaar in Nederland niet meer kennen...

men dit weersverschijnsel noemen? Stuifijs? Driftijs? Men beleefde een weerbeeld dat niet voor mogelijk werd gehouden in ons land! In de loop van de middag werd het weerbeeld weer normaler, toen de ijsregen in sneeuw overging.

Ten zuiden van een lijn van Zuidwest-Friesland naar het noorden van Overijssel was de overlast een stuk minder groot. In de namiddag kwam de koude lucht in beweging en begon naar het zuiden en westen uit te stromen. Hier hield de ijzel dan ook veel minder lang aan. Nog verder zuidwaarts was van ijzel helemaal geen sprake. Daar ging de regen zodra het kwik het vriespunt bereikte meteen in sneeuw over.

Bijna ramp

Zo zat Nederland pardoes in de winter. De volgende ochtend brak de zon door, maar vroor het overal vier tot acht graden. Er volgde een aantal zonnige en zeer koude dagen, met overdag lichte en 's nachts matige tot strenge vorst. Daar waar in drie kwart van het land sprake was van 'lichte winterse ongemak-

ken' (er was een laagje sneeuw gevallen, meer niet), waren in het noordoosten van het land de problemen rampzalig. Tientallen hoogspanningsmasten waren beschadigd en soms verworden tot zielige hoopjes verwrongen staal. Hier en daar lagen de hoogspanningskabels op de grond. Al rond tien uur 's ochtends op maandag 2 maart werd het sein 'groot alarm' gegeven. Langs sommige hoogspanningslijnen waren draadbreuken opgetreden. Op de gebouwen van Van Gend & Loos waren afgebroken kabels terechtgekomen, zodat het personeel het pand niet kon betreden. De snelweg tussen Groningen en Hoogezand werd voor alle verkeer afgesloten, maar ook op de andere wegen was vanwege de ijzel verkeer moeilijk, zo niet onmogelijk.

Veel bedrijven besloten vanwege het winterse weer en de stroomuitval hun personeel in de loop van de dag naar huis te sturen. Via de radio kregen de bewoners van Veendam het advies het stroomgebruik zo veel mogelijk te beperken. Pas in de loop van dinsdagochtend slaagde men erin om met kunst-

en vliegwerk de stroomvoorziening min of meer volledig te hervatten.

Uiteraard had ook het openbaar vervoer grote problemen. De NS konden alleen dieseltreinen laten rijden, elektrisch lag men plat. Het was niet mogelijk om de ijzel van de bovenleidingen te halen; speciale 'schraaptreinen', hoge stroomstoten door de leidingen, niets hielp. In de vroege ochtend reden er nog wel bussen uit, maar de diensten werden nog voor de middag gestaakt.

Veel inwoners van Drenthe waren die ochtend gewoon naar school of hun werk gegaan, maar konden in de namiddag en avond niet meer terug. Er was persoonlijk leed, maar er waren ook veel mensen die plezier aan de situatie beleefden. Op de dag van de ijzelramp en de dagen daarna zijn duizenden fotorolletjes volgeschoten met unieke ijsbeelden.

De ijzelramp eiste een zware tol onder de dieren. Vogels vroren vast en stierven, en sommige schapen die buiten stonden legden ook het loodje. In hun vacht zette zich een dikke ijzellaag af, waardoor ze omvielen en niet meer overeind konden komen. Het duurde nog dagen alvorens het ijs door de zonnestraling en later door de invallende dooi wegsmolt. Maar ook toen bleef het nog aardig winteren. Zelfs op 20 maart, het begin van de lente, werden delen van het land nog gegeseld door zware sneeuwbuien die, vanwege de felle wind, op sneeuwstormen leken. Op veel plaatsen viel er op een gegeven moment in ruim een kwartier twee tot vijf centimeter sneeuw. Maar toen was de winter dan toch écht voorbij.

Een dikke laag ijzel laat in het noorden van Nederland begin maart 1987 veel hoogspanningsdraden afbreken waardoor hele gebieden zonder stroom zitten.

De opbouw van het Hellmanngetal gedurende de winters van 1985-1987. Zie voor uitleg de grafiek op blz. 17.

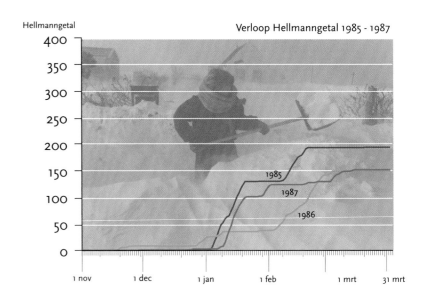

Hellmanngetal

Verloop Hellmanngetal 1985 - 1987

400

350

300

250

200

150 — 1985

100 — 1987

50 — 1986

0

1 nov   1 dec   1 jan   1 feb   1 mrt   31 mrt

Weersvoorspelling en de media

In de winters van 1986 en 1987 lieten de media zich steeds sterker gelden op het gebied van het weer en de berichtgeving over het al dan niet doorgaan van de Elfstedentocht. Daarbij ontstond er bij het grote publiek de indruk dat de diverse weermensen en -instituten probeerden elkaars vliegen af te vangen. Het probleem was dat niet alle weerkundigen van dezelfde modelkaarten gebruikmaakten en er allemaal hun eigen interpretaties van hadden. Daar waar in 1986 Meteo Leeuwarden duidelijk mis zat met het voorspellen van dooi, terwijl het bleef vriezen, was het in januari 1987 juist Meteo Consult, bij monde van John Bernard, dat de plank missloeg door aanhoudende vorst te verwachten terwijl het ging dooien. De situatie van deze twee jaar wordt treffend beschreven door kapitein Wim Zikkenheimer, destijds werkzaam op vliegbasis Leeuwarden: 'In mijn luchtmachtloopbaan werd ik in september 1985 overgeplaatst van de vliegbasis Twente naar de vliegbasis Leeuwarden. Hier werd ik hoofd afdeling meteorologie. In alles was Leeuwarden anders dan andere vliegbases van de luchtmacht. Als eerste natuurlijk de Friese taal en gewoonten. Verder viel de afdeling weerswaarneming op de schietrange Vlieland ook onder mijn afdeling. Dit betekende dat ik af en toe met de helikopter naar Vlieland ging voor een werkbezoek. Mijn voorganger, kapitein Marijke Waalkens, had goede contacten opgebouwd met het Elfstedenbestuur. De winter van 1985/1986 werd koud en uiteindelijk kwam een Elfstedentocht in zicht. Vanuit het Elfstedenbestuur kwam het verzoek om de weersverwachtingen te verzorgen. Als de rayonhoofden bij elkaar kwamen, ging ik daar

naartoe. Ik was op de vliegbasis inwonend en reed met de trein van mijn huis in Enschede naar Leeuwarden. Ik had geen auto, maar wel een dienstfiets. Dus ging ik 's avonds op de fiets met grote, opgerolde weerkaarten onder mijn arm naar de Frieslandhallen. Daar aangekomen keken de rayonhoofden en het bestuur wel enigszins vreemd naar die militair met z'n westerse tongval, maar ik verzorgde een paar keer de weersverwachting en er ontstond vertrouwen en een band. Indertijd was ir. Sipkema nog voorzitter en de heer Kroes de ijsmeester. Wat weer betreft was er geen vuiltje aan de lucht. 's Morgens vroeg was ik ruim op tijd bij de start. In een soort grote kooien stonden de wedstrijdrijders klaar om te starten en het eerste gedeelte rennend (een paar honderd meter) naar het ijs af te leggen. Ik weet nog heel goed dat ik heb gewaarschuwd voor de zeer lage temperaturen in de late nacht en vroege ochtend, wat in combinatie met de hoge snelheid van de schaatsers onderkoelingsverschijnselen kon veroorzaken, vooral aan de onbedekte gedeelten, zoals de ogen. Dit werd door Kroes duidelijk aan de schaatsers gebrieft. Uiteindelijk heb ik op de eerste rang gestaan bij de finish waar Evert van Benthem won.

In 1987 verliep het anders. Opnieuw werd het koud en kwam een Elfstedentocht in zicht. Gezien de enorme mediaaandacht had John Bernard zijn diensten aan het Elfstedenbestuur aangeboden. Hij liet wat apparatuur in de Frieslandhallen plaatsen waarop hij weersinformatie ontving. Van daar gaf hij weervoorlichting aan het Elfstedencomité. De Friese regio was gewend dat de weersverwachtingen door de meteo-

afdeling van de vliegbasis Leeuwarden werden verzorgd. Hierdoor belden de kranten uit Friesland, zoals de *Leeuwarder Courant*, naar de vliegbasis en vroegen naar mij voor de verwachting. John Bernhard, die midden in de hectiek van de organisatie van het grote evenement zat, liet zich daardoor meeslepen, terwijl ik aan de zijlijn redelijk objectief mijn weersverwachtingen kon geven. Wij maakten op de vliegbasis gebruik van het UKMO-model, een Engels weermodel, terwijl ik telefonisch via het Luchtmacht Meteorologisch Centrum ook informatie van het ECMWF, het Europese weercentrum kreeg. Via een radio-ontvanger haalden we faxweerkaarten tot 6 dagen vooruit van de Duitse weerdienst binnen. Aan de hand van deze laatste kaarten kwam ik tot de verwachting dat de wind naar noord zou draaien en dat het zou gaan dooien op de geplande dag voor de Elfstedentocht. Dit meldde ik ook aan de kranten. De dag daarna belde John Bernard mij op en nodigde mij uit om langs te komen in de Frieslandhal. Daar vroeg hij mij om in de media niets te zeggen of hetzelfde als hij. Hij vond het ongeloofwaardig overkomen als er verschillende weersverwachtingen naar buiten werden gebracht. Overigens was hij van mening dat de vorst zou aanhouden. Ik daarentegen bleef van mening dat het zou gaan dooien. Vaker had het computermodel van het Europese weercentrum het bij het rechte eind, maar deze keer had Offenbach gelijk en John pech. Uiteindelijk is de Elfstedentocht om organisatorische redenen niet doorgegaan. Een ervan was dat de veemarkt in de Frieslandhallen niet verplaatst kon worden en een andere locatie als start

niet voorhanden was. Uiteindelijk bleek het op de aanvankelijk geplande dag ruim te dooien. Het aardige was dat ik in de landelijke pers nog ben genoemd omdat ik altijd al had gezegd dat het zou gaan dooien, dit in tegenstelling tot de verwachtingen die het Elfstedenbestuur had gekregen…

Winter

Doodstil is de winterdag.
Door ijle lucht gevlogen,
in glijvlucht van een dak
landt op een tak een vogel.

Als de gespleten karkassen
van slachtvee in het abattoir
hangen een paar pas gewassen
overhemden naast elkaar.

En de kastanje is weer kaal.
Hij is er mij niet minder om.
Ik zag het niet graag andersom:
Hij vol blaren en ik al kaal.

Hij staat daar al een eeuw
en zal nog sneeuw dragen
en 's zomers steeds weer blaren
als ik allang ben ingesneeuwd.

Rien Vroegindeweij, 1982

Uit: Statig Landschap Achter Glas
Uitgeverij Bert Bakker, Amsterdam

Winters beeld van de Reeuwijkse Plassen in Zuid-Holland. Lichte sneeuw heeft het ijs wit gekleurd, de wind heeft er een mooi patroon in geblazen.

De winters van 1996 en 1997

De laatste 'echte' winters tot nu toe

Tom van der Spek

Na het koude wintertrio uit de jaren tachtig volgde er een aantal zachte tot uitzonderlijk zachte winters. Alleen de winter van 1991 leverde een mooie vorstperiode op, die eind januari begon en ruim twee weken aanhield. Vooral tijdens de tweede helft van deze winterperiode viel er veel sneeuw. Serieus winterweer volgde in december 1995.

December 1995 begon al koel, en met Sinterklaas kwam de kou er goed in. Na twee ijsdagen met een snijdende oostenwind, bleek de kou echter niet door te zetten, zonder dat het overigens zacht werd. In de nachten bleef het vriezen en overdag steeg het kwik op de meeste plaatsen tot iets boven nul. Erg veel overlast leverde het winterweer niet op. De motsneeuw die zo nu en dan viel, leverde alleen maar wat witte sporen op. Omdat het vaker vroor dan dooide, kon er zich wel voorzichtig een ijslaagje vormen. Vanaf 9 december kon er hier en daar geschaatst worden. Oprukkende zachte lucht met de daarmee gepaard gaande ijzel veroorzaakte op 18 december vooral in de noordelijke helft van het land spiegelgladde wegen. In delen van Friesland was het een tijdje bar en boos. In Sneek gleden auto's het water in en fietsers kwamen maar heel moeizaam vooruit. De winter gaf zich echter niet gewonnen. Half Nederland beleefde een mooie witte eerste kerstdag, waarbij er in delen van Noord-Holland drie tot zes centimeter sneeuw viel. Na de kerst volgden er een paar koude winterdagen met 's nachts op veel plaatsen strenge vorst. In delen van Gelderland daalde het kwik aan de grond tot bijna -18 °C. Gemeen koud was het in het noordoosten van het land. Bij een straffe oostenwind kwam het kwik daar op de laatste twee dagen van het jaar amper boven de -6 °C uit. Ten zuiden van de grote rivieren was zachtere lucht binnengestoomd en lag het kwik iets boven nul.

De storing die dit alles veroorzaakte, zou tot een paar dagen na de jaarwisseling boven de grote rivieren blijven zwabberen. Tweederde van het land bleef dan ook in de vorst. Er viel af en toe lichte regen, die aan de grond meteen bevroor. Met de gladde eerste kerstavond van het jaar daarvoor nog vers in het geheugen, pakten de media flink uit. Er werd uitgebreid voor ijzel gewaarschuwd. Dat werd niet door iedereen in dank afgenomen want hier en daar bleef het droog en werd het dus niet glad. Maar elders was het glibberen en glijden tijdens het afsteken van het vuurwerk op oudejaarsnacht. Het slechte nieuws was dat het

De dijk tussen Warder en Oosthuizen (in de buurt van Edam) ligt in februari 1996 bedekt met ijs van het Markermeer. De harde zuid-oostenwind heeft het ijs op grote bergen gedreven.

Ook de dijk tussen Volendam en Edam
kreunt onder de druk van het ijs.
Medewerkers van het Hoogheemraadschap
proberen de weg weer vrij van ijs te krijgen.

ook in het nieuwe jaar bleef vriezen en de ijslaag dus zou blijven
liggen. Gedurende de jaarwisseling en de eerste januaridagen
gaf de verkeerspolitie dan ook het advies om zo veel mogelijk
thuis te blijven. Sommige snelwegen waren uitsluitend aan de
rechterkant te berijden. Het bleef nog een week lang vorstig in
het noorden en kwakkelig in het zuiden van het land. Daarna
trad de dooi in.

Zandstormen

De winter keerde in de tweede januarihelft echter terug. Eerst
aarzelend, maar al spoedig hevig. De oostelijke wind nam in
kracht toe en omdat het goeddeels droog was gebleven, ver-
stoof de grond op de kale akkers in Groningen en Drenthe.
Soms zag de lucht daardoor donkergrijs en werd het zicht door
het opgestoven stof gereduceerd tot vijfhonderd meter.
De gedenkwaardigste dag uit deze periode was vrijdag 26
januari. Er woei een vrij krachtige tot harde oostenwind, en dat

bij aanhoudende matige tot strenge vorst! Hier en daar kwam
het kwik amper boven de -10 °C uit. Die dag deed daardoor
denken aan de beruchte 14 en 15 januari 1987. De Gasunie
maakte later dan ook bekend op deze dag een recordhoeveel-
heid van 530 miljoen kubieke meter te hebben afgezet, 1 miljoen kubieke meter meer dan op 14 januari 1987.
Uit de voortjagende wolken viel in sommige delen van land
wat sneeuw, maar in Limburg en in delen van de Achterhoek,
Twente, Drenthe en Groningen kwam er veel meer omlaag en
was er soms sprake van een ware blizzard, en dat bij die temperatuur! Door dichtgestoven en bevroren wissels werd het
treinverkeer behoorlijk ontregeld, vooral in Groningen. Ook
op de weg was het geen pretje, door opgeworpen sneeuwduinen van wel 85 centimeter. Toen de wind op zondag 28 januari was bedaard en er bovendien een heerlijk winterzonnetje
doorbrak, namen veel mensen de gelegenheid te baat om in
het oosten van het land van de sneeuw te genieten.
Vreemd genoeg had men ook in het westen van het land
lokaal zware overlast van de sneeuw, ook al was hier maar
weinig gevallen! De straffe oostenwind blies namelijk alle
sneeuw van het geheel bevroren Markermeer, om deze achter
de eerste de beste hindernis – de dijk van het vasteland – te
deponeren! Bewoners van boerderijen aan de dijk zagen tot
hun verbazing in een verder nagenoeg sneeuwloos landschap
hun erven en opritten bedolven worden onder sneeuwduinen
van wel een meter hoog. Er moesten shovels aan te pas
komen om de boel weer een beetje begaanbaar te maken, en
zelfs op de zonnige zondag kwamen verraste automobilisten
vast te zitten in het hier wel zéér lokale dikke sneeuwdek.
Hoewel de kou eind januari, begin februari temperde, bleef
het overwegend winters. De langdurige kou zorgde ervoor dat
er op veel plaatsen geschaatst kon worden en er zich ook op
de grote rivieren ijs vormde. Vanwege een gesloten stuw was
de Nederrijn tussen Wageningen en Culemborg zelfs geheel
met vast ijs bedekt. Geen wonder dat er in de media al ijverig
werd gespeculeerd over een Elfstedentocht.

Complicaties

Maar er waren complicaties. In Friesland was er bijna geen
strenge vorst geweest en de sterke bries had erg veel windwak-
ken veroorzaakt, die door eenden en andere watervogels werden
opengehouden. Met ijs probeerde men de wakken op te vullen
en te laten bevriezen, maar begin februari zat er dooi in de lucht.
Weliswaar waren de meeste wakken een paar dagen later dichtgevroren, maar de IJsselmeertocht (voor het eerst gehouden
sinds de strenge winter van 1963) tussen Stavoren en Enkhuizen
die op zondag 6 februari plaatsvond, verliep 's middags bij lichte

Het bevroren Markermeer aan het einde van
de lange vorstperiode, waardoor de winter
van 1997 werd gekenmerkt. Aan de randen
is al kruiend ijs te zien.

Mensen wandelen op het IJsselmeer bij
Enkhuizen aan het einde van de vorstperiode
in januari 1997.

Hans van Hulssen
op het ijs van het
IJsselmeer bij
Enkhuizen.

dooi. Onder de tienduizenden deelnemers bevonden zich veel zwartrijders en op een gegeven moment zakten enkele schaatsers door het ijs.

Of deze gebeurtenissen, die in de media nogal werden aangedikt, daarbij een rol hebben gespeeld is niet bekend, maar die avond besloot het Elfstedenbestuur dat het ijs in de zuidwesthoek van de route nog te zwak was. Na een kwakkelmaandag verscherpte de kou echter opnieuw en groeide het ijs overal op de route flink aan. Men wachtte af... Op woensdag meldde Henk Kroes dat de tocht 'mogelijk op zaterdag' gehouden kon worden. Te laat! Toen viel juist de dooi in. De dag daarvoor was het nog een prachtige winterdag met overal stevig ijs en in de vroege ochtend hier en daar in Friesland zeer strenge vorst, terwijl het op sommige meetposten van Rijkswaterstaat op de Veluwe zelfs twintig graden vroor!

Achteraf bezien had de tocht op die bewuste vrijdag gehouden kunnen worden, maar nu bleef heel schaatsminnend Nederland met een kater zitten. Nog nooit in de historie was het voorgekomen dat de Elfstedentocht gereden had kunnen worden en tóch niet doorging. Uit de gebeurtenissen werden echter wijze lessen getrokken, die al een jaar later in de praktijk konden worden

gebracht. Antwoord van een rayonhoofd op de vraag waarom men niet eerder met het aanpakken van de wakken op de route was begonnen: 'Takom' winter donderje we it iis der fuort yn, noch foar dat it friest!' (De volgende winter gooien we het ijs er direct in, nog voor het gaat vriezen!')

Nog eenmaal

Na een weekje dooi keerde de winter terug. En hoe! Op 19 februari werden vooral het noorden en westen van het land opnieuw geteisterd door een krachtige tot stormachtige wind uit het noordnoordoosten. Er viel daarbij enige tijd matige sneeuw, die bij tot onder nul dalende temperaturen al snel begon te verstuiven. Het zuidoosten van het land bleef vrijwel buiten schot. In het noorden stoven de weilanden leeg, waarna de sneeuw zich in de bebouwde kom afzette. Het gevolg waren sneeuwduinen van een halve tot één meter hoog. Sneeuwstormachtige toestanden dus, maar geen vergelijking met het barre winterweer van half februari 1979, zoals in de media werd gesuggereerd. Een echte vorstperiode kwam er vervolgens niet meer, maar tot diep in april was er wel voortdurend sprake van vorstdagen.

Op ijsjacht

Tom van der Spek en Hans van Hulssen

Al een paar dagen voor zondag 11 januari werd het duidelijk dat de dooi er zat aan te komen. Op zaterdag 10 januari vroor het nog maar licht. We besloten deze dag, gewapend met foto- en videocamera, op pad te gaan. Eerst reden we naar de pont bij Wageningen, maar tot onze teleurstelling zagen we dat het water van de Nederrijn stroomde en dat er geen ijs te zien was, zelfs geen drijfijs. Daarna reden we naar het Veluwemeer en na een korte stop daar ging de tocht verder naar de Houtribsluizen bij Lelystad. Daar keken we uit over een oneindige ijsvlakte. Uit de grauwe lucht viel een enkel motsneeuwvlokje, maar het landschap was sneeuwvrij. Er was hier nauwelijks sneeuw gevallen, en die was tijdens de kortstondige dooi op 29 december weggesmolten. Het gras lag er dor en geelbruin bij. De thermometer bij de sluizen wees -4 °C aan. Het water in de sluizen was grotendeels ijsvrij en op het Markermeer en het IJsselmeer was een vaargeul opengehouden, die echter vol lag met pakijs. We hadden het geluk dat we konden zien hoe met een luid geknerp een ijsbreker, die een klein konvooi schepen voorafging, naderde. Even later voeren de schepen de sluizen binnen en werden daar geschut.

We vervolgden onze tocht over de dijk Enkhuizen-Lelystad en stopten onderweg regelmatig om film- en foto-opnamen te maken van de ijsvlakte en het kruiende ijs langs deze dijk. Hoewel het ijs er verderop schaatsbaar uitzag, was er vrijwel geen mens op te zien. Slechts een enkele keer passeerde er in de verte een groepje schaatsers. In Enkhuizen hetzelfde beeld. De pittoreske haven vertoonde zeer dik, glad en pikzwart ijs, maar er was geen schaatser te bekennen! Was men, na de Elfstedentocht van de week ervoor, nu al schaatsmoe, of nam iedereen deel aan toertochten elders? In ieder geval was het spannend om nu eens vanaf de waterkant langs de mooie scheepjes te lopen! Wat verderop, buitengaats bij het windmolenpark, weer hetzelfde beeld: goed, stevig ijs, maar vrijwel geen schaatsers.

Bij het vallen van de duisternis waren we weer thuis en konden daar de twintigste ijsdag op rij noteren, een Bennekoms record. De nacht daarop vroor het matig, voor de laatste keer die winter...

Winter 1997

De volgende barre winterperiode, en tevens de laatste van de twintigste eeuw, diende zich in december 1996 aan. Aanvankelijk sloop de winter op kousenvoeten binnen. Half december waren er een reeks vorstdagen en een paar ijsdagen. Het was daarbij rustig weer: nevel, mist en hardnekkige lage bewolking bepaalden het beeld. In sommige delen van het land brak de zon schitterend door. Na een aantal zachtere dagen barstte de winter op 20 december los, na een kletsnatte dag. Aanvankelijk lag het kwik overdag nog rond het vriespunt, maar vanaf 23 december duikelde het definitief onder nul. Al voor de kerstdagen kon er hier en daar geschaatst worden, bij prachtig zonnig weer. Het verkeer ondervond weinig last van het winterweer, alleen in Friesland ging het bij het invallen van de kou mis. De *Leeuwarder Courant* van 21 december 1996 meldde: 'De sneeuwval bezorgde het verkeer vanmorgen in de ochtendspits veel vertraging. In de hele provincie deden zich glijpartijen en botsingen voor als gevolg van de gladheid (...) De eerste meldingen van slippartijen kwamen tegen middernacht al binnen toen het vooral in het noorden van de provincie sneeuwde. Een 24-jarige inwoner van Dokkum gleed om kwart over twaalf met zijn auto in de sloot langs de hoofdweg bij De Valom. Tegen één uur botste een 29-jarige inwoner van Kollum met zijn auto tegen een boom langs de Trekweg bij Triemen. Beide mannen kwamen met de schrik vrij.' En elders in die krant: 'Glad door foutje – Door een communicatiefout zijn de Leeuwarder strooiwagens vannacht niet uitgerukt. Die verklaring geeft directeur Crik van Endt van de dienst stadsbeheer voor de spiegelgladde wegen tijdens de ochtendspits. Volgens Van Endt heeft de meldkamer van de politie verzuimd de reinigingsdienst te alarmeren.

Sinds de winter van 1997 is er in Nederland nog maar mondjesmaat op natuurijs geschaatst. En als het dan een keer lukte, was het ijs ook nog eens onbetrouwbaar. Op de foto zijn in de winter van 1999 op de Breevaart bij Reeuwijk mensen door het ijs gezakt. Voor de zekerheid zijn ook ambulances opgeroepen.

"Ze dachten dat ze ons niet eerder dan om zes uur mochten waarschuwen." Toen om zes uur het telefoontje kwam, zijn de Leeuwarder pekelaars terstond met man en macht de weg opgegaan. "Dat was te laat." De meldkamer houdt het er op dat de gemeente alleen bij onvoorziene omstandigheden wordt gealarmeerd. In dit geval waren de sneeuwbuien alom aangekondigd.' De verwachting was dat het aan het einde van het jaar extreem koud zou worden. In de nacht voor oudejaarsdag klaarde het op en raasde vanuit het oosten diepvrieslucht het land binnen. Het leverde een gedenkwaardige jaarwisseling op, een van de koudste jaarwisselingen van de eeuw! Ondanks uitbundige zonneschijn bleef het overdag verschrikkelijk koud. Bij een bulderende oostnoordoostenwind kwam het kwik op meerdere plaatsen niet boven -10 °C uit. Het was geen pretje om buiten te zijn, vooral niet in de nacht van oud op nieuw; rond middernacht vroor het hier en daar vijftien graden!

Boot van de havendienst van Amsterdam in een dichtvriezende haven.

Het schutten van een ijsbreker met daarachter een schip in de Houtribsluizen bij Lelystad.

Kouderecords

De eerste twee dagen van januari werden de koudste van de hele winter en lokaal was een jaar in honderd jaar tijd niet zo koud begonnen. Geen wonder dat veel weeramateurs, met een veel kortere meetreeks, hun kouderecords gebroken zagen. Met deze barre kou was het niet de vraag óf, maar wannéér er een Elfstedentocht zou komen. Op donderdag 2 januari werd beslist dat de Elfstedentocht op zaterdag 4 januari gehouden kon worden. Men had de kritiek van nog geen jaar daarvoor ter harte genomen en was weerbarstige wakken te lijf gegaan met ijs. Zo werd een nieuw begrip aan onze taal toegevoegd, namelijk 'ijstransplantatie'. De brandweer zaagde grote, rechthoekige stukken ijs uit, die vervolgens in de wakken werden geschoven. Hoewel de methode al in de jaren tachtig was toegepast, werd de term pas deze winter algemeen bekend bij het grote publiek.

Sneeuw 1

Sneeuwkristallen

Als het sneeuwt laat een natuurliefhebber zeker de gelegenheid niet voorbijgaan om een paar vlokken op de mouw van zijn winterjas op te vangen en ze aandachtig te bekijken, het liefst door een vergrootglas. Dikwijls zult u niets anders zien dan een verzameling onregelmatige klompjes of halfgesmolten druppeltjes, vooral als de sneeuw bij lage barometerdruk gevallen is. Veel regelmatiger is daarentegen de sneeuw die valt bij rustige lucht en hoge druk: soms zijn het pakketjes fijne naaldjes, maar dikwijls ook de beroemde, wondermooie, zesstralige sterretjes, verrukkelijk rank in hun glinsterende symmetrie. Die sneeuwkristalletjes hebben meestal een grootte van een paar millimeter, ze zijn dus duidelijk met het blote oog waar te nemen, en ieder die zich de moeite wil geven enkele malen de sneeuw te bekijken, kan zeker zijn dat hij ze te zien krijgt. De grootste exemplaren bereiken een middellijn van een centimeter!

Het knerpen van de sneeuw

Soms knerpt de sneeuw als je erop loopt. Dat gebeurt alleen bij zeer lage temperaturen.
De verklaring: onder druk wordt het smeltpunt van ijs lager. Daarom smelten ijskristallen in een laag sneeuw, als je erop loopt of als je een sneeuwbal kneedt, op de plaats waar ze elkaar raken. Zo worden ze 'gesmeerd' en maken geen geluid. Als de temperatuur laag genoeg is, smelt er niets meer en de kristallen breken bij het samenpersen: dit veroorzaakt het knerpende geluid. Hetzelfde effect verklaart waarom je van heel koude sneeuw geen sneeuwbal meer kunt kneden en waarom je op schaatsen zo 'gesmeerd' over het ijs glijdt.

De stilte na een sneeuwbui

Als er pas een verse laag sneeuw is gevallen, is het buiten vaak opvallend stil. Misschien komt dat doordat minder mensen zich buiten wagen, maar dat is niet de enige reden. Normaal wordt geluid weerkaatst door de bodem, boomtakken enzovoort en 'draagt' daardoor ver. Een verse sneeuwlaag heeft aan de oppervlakte uitstekende, millimeter-grote sneeuwkristallen die door hun lichtheid met de geluidstrillingen van de lucht meebewegen. Door de wrijving met de onderliggende kristallen wordt de geluidsenergie zo door de sneeuwmassa opgenomen, dat het geluid niet meer wordt weerkaatst maar effectief geabsorbeerd. Na enige tijd, als de sneeuwvlokken aan elkaar zijn geklonterd, werkt dit absorptiemechanisme niet meer en draagt het geluid dus weer verder.

Een groepje blazers
houdt de stemming
erin tijdens de
Elfstedentocht van
1997.

Miniatuur
ijstransplantatie

Op de televisie werd uitgebreid
verslag gedaan van een bijzondere ijstransplantatie, waarmee
duidelijk werd dat de organisatie van de Elfstedentocht niet
alleen een Friese aangelegen-
heid was, maar dat ook elders
in het land de helpende hand
werd toegestoken. In de
Hofvijver in Den Haag werd
een groot rechthoekig stuk ijs
uitgezaagd, dat vervolgens
werd getransporteerd naar een
groot wak in Sneek, nabij de
Waterpoort. De kosten van
deze ijstransplantatie bleven
beperkt, want de hele operatie
vond plaats in... Madurodam!

Een deel van de
Frieslandhallen in
Leeuwarden is
tijdens de Elfste-
dentocht van 1997
als massageruimte
ingericht.

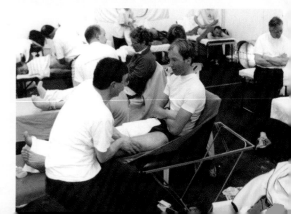

Elfstedentocht

De vorige twee keren was het organiseren van de
Elfstedentocht vanwege dreigende dooi en/of het late tijdstip in
het winterseizoen een race tegen de klok geweest, maar daar
was dit jaar geen sprake van. Hoewel de barre kou voorbij was,
bleef het licht tot matig vriezen. Het werd een echte feestdag,
met wel een pittige tocht vanwege de stevige noordoostenwind.
Niet iedereen was overigens blij dat de Elfstedentocht doorging. Omwonenden beleefden er niet alleen plezier aan, maar
werden ook met de lasten opgezadeld. Een actiegroep van
omwonenden probeerde de tocht op het laatste moment zelfs
te saboteren door op een deel van de route het ijs met zout te
bestrooien. De wandaad werd echter tijdig ontdekt en de schade kon worden beperkt. Tijdens de wedstrijd was Henk
Angenent uiteindelijk de snelste van een kopgroepje van vier en
hij werd winnaar.
Er vond nog een klein incident plaats. Toen de laatste toerrijder
voor het sluiten van de tijdcontrole om middernacht de streep
passeerde, wilde Henk Kroes persoonlijk het laatste stempel op

Tijdens de Elfstedentocht van 4 januari 1997
verdringt het publiek zich rond de finish in
Leeuwarden. Bijna iedereen draagt de muts
die door voedingsmiddelenfabrikant Unox is
uitgedeeld.

Klasina Seinstra wint de Elfstedentocht bij
de vrouwen. Als tweede komt Gretha Smit
over de streep.

zijn kaart plaatsen. Het bleek een zwartrijder te zijn! Overigens
een van de velen, want het animo onder de toerrijders was veel
groter dan het maximumaantal toegestane van zo'n zestiendui-
zend. Gelukkig bleef het de week na de Elfstedentocht doorvrie-
zen en werd de route goed onderhouden, zodat nog veel
schaatsers na die gedenkwaardige zaterdag hun eigen tocht
langs de elf Friese steden konden volbrengen.

In het weekeinde na de tocht der tochten, viel het doek voor
deze winter. Op zondag 11 januari volgde er dooi, zonder ongemak. Hier en daar op sommige plaatsen in het land had het 22
dagen aan één stuk gevroren en de eerste tien dagen van
januari waren recordkoud verlopen. Heel even was de winter
van 1996/1997 zelfs de koudste sinds het begin van de metingen in 1901; 1963 werd nipt voorbijgestreefd. Waar het destijds
echter bleef doorwinteren, was het nu na nog wat gekwakkel
later in januari over en uit. Februari kende vrijwel geen vorst of
sneeuw en was meer een herfstmaand.

Sneeuw 2

Sneeuwvlokken

Buiten darrelde de sneeuw. 'Dat zijn de
witte bijen, die zwermen,' zeide de oude
grootmoeder. 'Hebben die ook eene bij-
enkoningin?' vroeg de kleine jongen,
want hij wist, dat er bij de werkelijke
bijen zoo een was. 'Die hebben zij!'
zeide de grootmoeder, 'zij vliegt, waar
zij het dichtste zwermen. Zij is de
grootste van allen en blijft nooit rustig
op aarde, dadelijk vliegt zij weer naar de
donkere wolk omhoog. Vele winternach-
ten vliegt zij door de straten der stad en
kijkt door de vensters naar binnen, en
dan bevriezen die zo wondermooi, alsof
er bloemen op geschilderd waren.' Des
avonds, toen de kleine jongen thuis
was, klauterde hij op een stoel voor het
venster. Een paar sneeuwvlokken vielen
buiten en een ervan, de allergrootste,

bleef op den rand van eenen bloembak
liggen. De sneeuwvlok groeide meer en
meer en werd ten laatste zoo groot als
een jonkvrouw, gekleed in het mooiste
witte gewaad, dat uit millioenen stervor-
mige vlokken bestond. Zij was heel
mooi en bevallig, maar van ijs, van ver-
blindend, glinsterend ijs; maar toch
leefde zij. De oogen schitterden als twee
heldere sterren, maar er was geen rust
in. Zij knikte tegen het venster en
wenkte met de hand. De kleine jongen
schrok en sprong van de stoel af; toen
leek het, of buiten een groote vogel
langs het venster vloog.

Uit: H.C. Andersen, *De Sneeuwkoningin*
(1835)

Nog een keer over het Veluwemeer

Aart Vierhout

Het ijs was keihard en je hoorde het onder onze schaatsen door ratelen, terwijl we het laagstaande zonnetje tegemoet gingen. Er stond een fris windje uit het zuiden en hoewel we hem half tegen hadden, reden we met een aardig gangetje over het perfect glijdende ijs. Zo is schaatsen een feest waar iedere natuurijsschaatser van droomt: natuur, uitgestrekte stilte, snelheid en perfectie. We reden nu al een half uur over het Veluwemeer en de eerste schaatser moest nog voorbijkomen.

Op zaterdag 4 januari 1997 was er een Elfstedentocht geweest, maar daarna was het gaan dooien. De dinsdagnacht van 14 op 15 januari had het onverwacht toch weer vijf graden gevroren. We waren ervan overtuigd dat, met zoveel ijsmassa onder een laagje water, weinig vorst genoeg zou zijn om weer een mooie ijsvloer op het Veluwemeer te laten ontstaan.

Zo kwam het dat we die woensdagochtend om elf uur vanuit Nunspeet richting Veluwemeer reden. Het landschap was van een uitzonderlijke schoonheid. Vanuit de Melkbeek met zijn net geknotte wilgen flonkerden de rijpkristallen ons tegemoet. Toen we het Veluwemeer in zicht kregen, lag daar een schitterende ijsvloer. Rechts van ons waren duizenden ganzen in het weiland neergestreken, waarvan de eerste rijen zich door ons verschijnen statig op hun poten verhieven, klaar om bij het minste onraad op te vliegen. Daarachter lag het schier eindeloze, licht berijpte en glinsterende, oerHollandse weidelandschap.

Vanaf het steigertje op pa's landje concludeerden we dat het ijs er gezond uitzag en na een paar keer stampen wisten we zeker dat het sterk genoeg was. Na onze schaatsen aangetrokken te hebben, reden we even later richting Harderwijk. We hadden de wind en de zon tegen en op het ijs waren hier en daar witte plekken zichtbaar. Het laagje sneeuw was op plaatsen waar het na de dooi was opgewaaid nog niet helemaal weggesmolten. De overgebleven sneeuwhoopjes staken sfeervol boven het ijs uit.

Ter hoogte van Hoophuizen lag er een soort heksenkring van eendenpoep op het ijs, ontstaan doordat daar een wak was geweest waar eenden omheen gezeten hadden. Later was het wak dichtgevroren tot hard, donker en spiegelglad 'olieijs', met luchtbelletjes erin. Als je over olieijs rijdt, hoor je he-le-maal niks! Het gerammel van de bobbels op het ijs is weg, je zet je voeten extra zorgvuldig neer om niet te krassen en zelfs het glijden van het geharde ijzer over het ijs hoor je niet. Je krijgt dan de neiging tot in uiterste perfectie technisch goed te schaatsen. Als dat lukt, is het een feest. Geruisloos flits je over het ijs.

Bij Harderwijk was het water door de wind in half vloeibare vorm tot golfjes opgestuwd en daarna bevroren. Hierdoor waren 'rillen' ontstaan zoals op een wasbord. We 'rammelden' eroverheen en onze knieën hadden het zwaar te verduren.

Glijden

Hier zijn we op het punt waar het verhaal begon: 'Het ijs was keihard en je hoorde het onder onze schaatsen door

ratelen.' Als je snelheid genoeg maakt, is het niet zo erg. Door de hoge frequentie van de trilling onder je voet hobbelt de schaats niet, maar hij blijft lekker stabiel. Op al die hobbeltjes heb je prima grip en door het harde ijs geeft het een robuust zingend geluid. Nu moet je snelheid houden. Vertragen houdt in dat je over iedere hobbel heen moet schaatsen en als er dan een iets hogere hobbel komt, val je op je gezicht. Het motto in dit geval is: achteropzitten en glijden!

Na het 'getrapte' kunstwerk in het Veluwemeer bij de Knardijk in Harderwijk te hebben bekeken, keerden we om. Met de wind in de rug raasden we met een snelheid van vijftig kilometer per uur over de vlakte richting Elburg, te midden van eilanden en in lichte nevel gehulde verre kusten met berijpte bomen en witverstilde boerderijen die uit het niets leken op te rijzen.

Ter hoogte van Nunspeet kwam het eerste grote wak met daarin honderden eenden, ganzen en zwanen. Toen we er op veilige afstand voorbijschoten, draaiden ze hun koppetjes spits met ons mee. Geen ogenblik verloren ze ons uit het oog, klaar om op te vliegen. Eenden zijn het schichtigst en als er een opvliegt, volgen ze allemaal, wat een prachtig gezicht is. Als het stil is op grote ijsvlaktes gebeurt het nogal eens dat jouw schaatsbaan zich kruist met de vluchtrichting van de zwanen. Als ze op ooghoogte, op slechts enkele meters voor je langs kruisen, is dat indrukwekkend. En dan dat geluid van de vleugels, vooral als het er veel zijn! Net een langs zoevend wielerpeloton.

De temperatuur steeg snel door de zonnewarmte en het ijs zette uit, waardoor het omhoog werd gestuwd en met oorverdovende geknal scheurde. Er ontstond een soort heel lange tent van wel een halve meter hoog met een scheur er in de lengterichting overheen. Het was een geweldig gezicht, maar als schaatser vind je zo'n kistwerk niet fijn.

Zonnebad

Na bij het Zonnebad genoten te hebben van een in zonlicht badend Elburg met zijn merkwaardige afgeplatte kerktoren (het verhaal gaat dat ze de punt er al diverse keren hebben opgezet maar dat hij er steeds weer afwaaide), draaiden we om en schaatsten met tegenwind weer richting Nunspeet.

De zon stond nu laag aan de horizon en was zo fel dat het ijsoppervlak nauwelijks zichtbaar was. Alleen de witte sneeuwvlekken waren te onderscheiden.

Opeens gebeurde het. Paul reed ongeveer twintig meter rechts van mij en ik hoorde het lichte, schelle geluid van panijs onder zijn schaatsen. Meteen daarop hoorde ik het panijsgeluid ook bij mijzelf en toen ik naar beneden keek, was alles onder mij wit. Onmiddellijk verlegde ik mijn baan naar links en probeerde snelheid te houden om er niet door te zakken. Naast mij hoorde ik Paul er wel doorheen gaan en toen ik naar rechts keek, zag ik hem horizontaal door de lucht vliegen, waarna hij met een smak met z'n ellebogen op het ijs belandde. Zijn bril, met opgestoken zonnebril, kletterde op het ijs.

Nadat Paul opgekrabbeld was, vervolgden we onze tocht. Al snel waren we weer terug in Nunspeet bij pa's landje. Pas op de Molenweg kwamen we weer iemand tegen – in een auto.

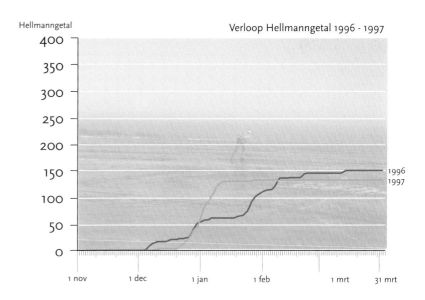

De opbouw van het Hellmanngetal gedurende de winters van 1996 en 1997. Zie voor uitleg de grafiek op blz. 17.

Wat was alles groot
en zwaar, en mooi, en machtig,
toen ik nog klein was

haiku van Masharo Jasuchi

De auteur van dit
hoofdstuk als kleuter
in de tuin achter het
grote ouderlijk huis,
in een van de koude
oorlogswinters (1941).

Kinderwinters

Waren ze echt wel zo bar, die winters van toen?

Jaap van Suchtelen

'Winters van toen'! Onze boektitel suggereert een contrast met recente winters. Dat contrast bestaat daarin, tenminste in de herinnering van veel mensen, dat de winters uit hun kindertijd in veel opzichten 'barder' waren dan die van nu. Ze waren kouder, er viel meer sneeuw, die ook langer bleef liggen, en ze duurden ook langer.

Voor een deel is dat zeker waar en dat blijkt dan ook uit de cijfermatige gegevens van de meteorologen, die in dit boek verwerkt zijn. Maar in dit hoofdstuk wil ik wijzen op een paar andere psychologische effecten, waardoor het erger lijkt dan het in werkelijkheid was. Dat slaat speciaal op de winters uit onze kindertijd. Zelfs als die winters helemaal niet zo bar waren! We hebben te maken met een soort perspectivisch bedrog van ons geheugen. Dat wil ik hier aan de hand van mijn eigen ervaring proberen uit te leggen.

Ik ben van 1937 en heb dus die beruchte oorlogswinters net bewust meegemaakt. Ja hoor, ze waren bar. O, wat was het koud (mijn vingers tintelden vaak pijnlijk van de kou). O, wat lag de sneeuw dik. O, wat duurde het lang allemaal. Toch, als ik de grafieken en statistieken van het KNMI over de hele periode vanaf mijn geboorte bekijk, valt het eigenlijk nog best mee. Later in mijn leven heb ik wel meer strenge winters meegemaakt, maar in mijn herinnering zijn die winters uit mijn lagereschooltijd nooit meer in barheid overtroffen.

Dat komt doordat herinneringen subjectief zijn. Om een herinnering te 'bekijken' heb je geen objectieve maatstaven in de vorm van bijvoorbeeld een meetlat, een thermometer, een weegschaal of een klok, zoals je in een laboratorium zou gebruiken. Je enige houvast is de onderlinge vergelijking van verschillende herinneringen, inclusief de vergelijking van herinneringen met waarnemingen van nu. Hierna uitgelegd voor verschillende dimensies.

Afmetingen

Ik herinner me dat ik als klein kind regelmatig tot mijn knieën door de sneeuw stapte, als die in opgewaaide hopen in de tuin lag. Mijn kniehoogte is nu 54 centimeter, en ik denk dan ook dat de sneeuw toen regelmatig een halve meter dik lag. Maar toen ik vier was zat mijn knie maar op 25 centimeter! Ook de sneeuwvlokken die ik op de mouw van mijn jas opving en bewonderde waren zo groot als ik later nooit meer ben tegengekomen. Maar de 'leesafstand' waarop ik die vlok van mijn ogen hield, was ook weer twee keer zo klein als nu, ik zag die vlok dus inderdaad onder een twee keer zo grote hoek, en op de foto die in mijn geheugen is opgeslagen is hij ook echt twee keer zo groot.

Gewicht

Toen ik vier was kon ik een kolenkit niet optillen, toen ik zestien was met gemak twee. Subjectief lijken de dingen uit onze kindertijd dus zwaarder.

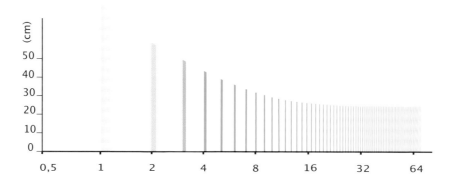

Grafiek 1:
Door Jaap van Suchtelen meege-
maakte sneeuwhopen in de tuin.
Horizontaal is de tijd uitgezet, langs
de gewone tijdas. Verticaal: hoogte
in centimeters.

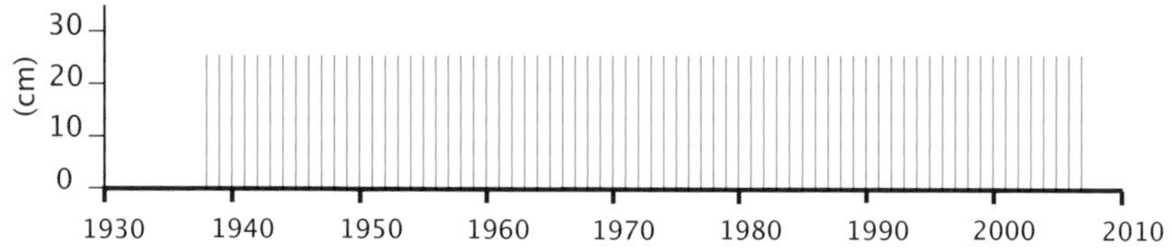

Grafiek 2:
De sneeuwhopen in de tuin in de
herinnering van Jaap van Suchtelen.
Horizontaal: leeftijd langs de sub-
jectieve, dus logaritmische tijdas
(Jaaptijd); verticaal: herinnerde
hoogte in centimeters
(Jaapcentimeters).

Temperatuur

Bij het begrip 'gevoelstemperatuur', al ter sprake gekomen in
het hoofdstuk over de winter van 1947, zou je eigenlijk ook mee
moeten nemen dat een kinderlijf bij snijdende wind relatief
meer en sneller afkoelt dan een grotemensenlijf, omdat de ver-
houding huidoppervlakte/volume voor een kind groter is, om
precies te zijn: omgekeerd evenredig met lichaamslengte. De
wind voelt dus kouder aan, en je handen raken eerder onder-
koeld bij het sneeuwballen kneden zodat ze gaan tintelen. Je
ervoer dezelfde kou toen dus erger dan een volwassene.

Tijdsduur

Hoe je je herinnert hoe lang iets duurde, is ook wiskundig uit
te leggen. Iedere volwassene kent de ervaring dat een maand
uit je kindertijd in je herinnering langer lijkt dan een maand nu.
Maar het zijn dan ook niet de dagen of weken zelf die tellen,
maar *het belang van de dingen die je erin beleefd hebt*. Hoe meet
je dat belang? Dat kan alleen maar door het te vergelijken met
het totaal van alle dingen die je daarvóór al beleefd hebt.[1]
In het meest simpele geval dat je elke dag evenveel beleeft, [2]
is dat totaal evenredig met je leeftijd. Als je in totaal L dagen
geleefd hebt, beleef je in een nieuwe dag 1/L van je totale ervaring, dus later in je herinnering lijkt de lengte van die dag ook

1/L van je toenmalige leven. Voor je hele leven, d.w.z. tot het
'nu-moment', moet je al die dagen optellen. Dus de subjectieve
of schijnbare leeftijd is niet gewoon L, maar de optelsom van
alle subjectieve daglengtes. Wiskundig kun je dat zo schrijven:

$$\int \frac{1}{L} \, dL = \log L$$

Met andere woorden, voor je gevoel is je verleden niet verlopen
volgens de gewone tijd, maar volgens een logaritmische tijd.
Daarin lijken de maanden uit je kindertijd veel langer dan de
maanden nu en hoe ouder je wordt, hoe korter ze lijken te worden. Natuurlijk is dat jargon met integralen en logaritmes
alleen te volgen door wiskundefreaks, maar het resultaat is
voor iedereen duidelijk te maken aan de hand van twee grafieken: 1 en 2. Ik gebruik daarin als voorbeeld een paar winterdin-
gen die me uit mijn kindertijd vooral zijn bijgebleven: de hoogte van de sneeuwhopen in de tuin en de tijd dat ze bleven liggen. Om het principe duidelijk te maken ga ik niet uit van echte
historische gegevens, maar van het hypothetische versimpelde
geval dat elke winter er precies hetzelfde uitziet: namelijk zes
weken lang sneeuwhopen van 25 centimeter in de tuin, elke

[1] Ik lees in het boek van Draaisma dat de
Franse filosoof Paul Janet diezelfde hypo-
these in 1877 ook al bedacht had.

[2] Er zijn natuurlijk perioden waarin je
meer of meer 'nieuwe' dingen beleeft dan
gemiddeld, bijvoorbeeld gedurende een
vakantie, of een of andere emotionele periode. In je herinnering lijken zulke perioden
ook inderdaad langer te duren. Dit illus-
treert weer dat je onbewust 'belang' in
tijdsduur vertaalt.

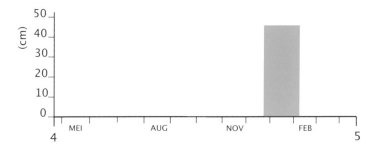

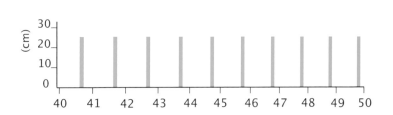

Grafiek 3a:
De sneeuwhopen in de tuin in de herinnering van Jaap van Suchtelen,
in zijn vierde levensjaar (uitvergroot detail van grafiek 2, in de breedte
uitgerekt).

Grafiek 3b:
De sneeuwhopen in de tuin in de herinnering van Jaap van Suchtelen,
in zijn vierde levensdecennium (uitvergroot detail van grafiek 2, in de
breedte uitgerekt). De tijd 'ging al veel sneller', de winterse perioden
leken dus korter te duren.

winter opnieuw. (Dat klopt natuurlijk niet echt, maar het gaat
om het principe en zo is dat het duidelijkst.)
Dat ziet er dus in een gewone grafiek zo uit als grafiek 1. Maar
in mijn herinnering ziet het eruit als in grafiek 2. Daar is mijn
leeftijd (horizontale as) logaritmisch uitgezet. Om nog eens
extra duidelijk te maken wat zo'n logaritmische tijd betekent,
heb ik twee stukjes van grafiek 2 uitvergroot, d.w.z. in de
breedte uitgerekt, die volgens mijn herinnering zowat even
lang lijken te duren: in 3a mijn vierde jaar (op het eind daarvan
was dat éénvijfde van mijn leven) en in 3b de periode tussen
mijn 40e en 50e, mijn 4e decennium dus (dat was in 1987 ook
éénvijfde van mijn leven). Je kunt eraan zien dat de uit mijn 4e
jaar herinnerde sneeuwperiode nu 10 keer zo lang lijkt als de
perioden uit mijn 4e decennium (hoewel ik van precies hetzelfde jaarscenario ben uitgegaan). Maar ook leken op mijn 4e
dezelfde sneeuwhopen bijna twee keer zo hoog als later: dat is
het afmetingseffect waar ik het boven over had.
De vertekening van tijdsduur is ook het onderwerp van het
bekende boek van Douwe Draaisma 'Waarom het leven sneller
gaat als je ouder wordt' – (over het autobiografische geheugen).
Als fysicus heb ik de neiging om voor die vertekening een wis-
kundige formulering te kiezen, vandaar mijn concept van logaritmische tijd.

De auteur van dit hoofdstuk in 2007 in het
huisje dat hij voor zijn kleindochter bouwde
in zijn tuin, nadenkend over het Krimpen
der Dingen en dit hoofdstuk schrijvend op
zijn laptop.

De winters van straks!

Ze worden vast lekker warm,

hier in Kyoto.

haiku van Masharo Jasuchi

Een windmolenpark: met windenergie kan in een deel van de Nederlandse elektriciteitsbehoefte worden voorzien. Dit park bevindt zich voor de kust van Egmond aan Zee.

Winters van de toekomst

Is de echte winter voorgoed verdwenen uit Nederland?

Harry Otten

Na zo veel nostalgische verhalen over winters van weleer is de grote vraag natuurlijk of er ooit nog zo'n winter komt. Het antwoord is dat de kans daarop de komende eeuw steeds kleiner wordt. Hoeveel kleiner proberen we in dit hoofdstuk uit te leggen.

Eerst sneeuw, dan vorst

De ideale situatie voor goed schaatsijs is een flink pak sneeuw met daarna invallende vorst. Er heeft zich dan nog geen ijs gevormd en de sneeuw zorgt ervoor dat de heldere nachten extra koud worden, waardoor de ijsgroei wordt bevorderd. Sneeuw na een aantal dagen vorst met een dun vliesje ijs daarentegen, is juist heel nadelig. De sneeuw schermt het ijs af van de koude lucht terwijl het diepere water, dat vaak een stuk warmer is, opborrelt en het ijs aan de onderkant aantast.

Minder sneeuw bij dooiaanvallen?

Sneeuw is de afgelopen jaren een steeds zeldzamer fenomeen geworden en het zou nog wel eens veel zeldzamer kunnen gaan worden. Er zijn twee luchtcirculaties waarbij een flinke hoeveelheid sneeuw kan vallen. De eerste is die waarbij het al koud is en zachtere lucht uit het zuiden opdringt. Vaak gaat de sneeuw dan aan regen vooraf en valt de dooi in. Soms wordt de dooiaanval afgeslagen en laat hij alleen sporen na in de vorm van een sneeuwdek. Omdat de zachtere lucht meestal van de Atlantische Oceaan afkomstig is en de watertemperatuur daar omhooggaat door het broeikaseffect, kan hij net te zacht worden om nog sneeuwval te veroorzaken. Ook de oostenwind die aan een oprukkend oceaanfront voorafgaat, kan minder koude lucht aanvoeren dan vroeger doordat de temperatuur gemiddeld hoger wordt.

Warmere Noordzee

Een andere gunstige situatie voor sneeuw is een sterke luchtstroming uit het noorden waarin boven de Noordzee talrijke buien ontstaan. Soms trekt in zo'n stroming ook een kleine depressie mee, die extra grote neerslaghoeveelheden kan brengen. Een van de mooiste voorbeelden daarvan deed zich op 2 januari 1979 voor. Maar de temperatuur van het Noordzeewater is de afgelopen jaren gestegen, waardoor de lucht uit het hoge noorden in het begin van de winter te sterk wordt opgewarmd en de neerslag voornamelijk als regen valt. Daar komt bij dat het ijs in het noordpoolgebied zich steeds verder terugtrekt, waardoor er bijna geen luchtstromingen meer zijn, die direct van over het Noordpoolijs hiernaartoe geblazen worden.

Siberische kou exit?

Toch zullen we ook deze eeuw ongetwijfeld nog stromingen uit het oosten of noordoosten krijgen met de hogedrukgebieden boven Scandinavië waar het hart van de schaatsliefhebbers sneller van gaat kloppen. Maar deze circulaties zullen in de toekomst vaak minder koud zijn dan in het verleden. Juist de gebieden rond de Noordpool warmen het sterkst op. De afgelopen jaren was vaak te zien dat het in de winter in de gebieden die vroeger het koudst waren, nu opmerkelijk warm is. Daarom kunnen we verwachten dat luchtstromingen uit Siberië in de toekomst gemiddeld minder koud zullen zijn dan in het verleden.

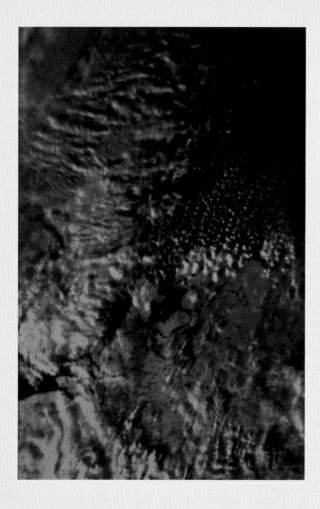

Satellietfoto van buien over de Noordzee.
Wanneer koude lucht vanaf Noord-Europa de
Noordzee opkomt, kunnen zich daarin talrijke sneeuwbuien vormen. Dit soort situaties
zal in de toekomst minder vaak voorkomen.
Dit beeld is van begin januari 1986 (zie ook
het hoofdstuk over die winter).

in delen van Nederland een pak sneeuw van een halve meter
viel. Mede door de aanwezigheid van heel koude bovenlucht,
werd het boven de verse sneeuw bij windstil weer extreem
koud. In de polder vroor het ruim twintig graden. Dezelfde situatie had als het januari was geweest wel tot een temperatuur
van -30 °C kunnen leiden. Dat zou een kouderecord voor
Nederland zijn geweest. Kou kan dus nog, ook in de toekomst.

IPCC en KNMI

Over de hele wereld wordt voortdurend met ingewikkelde
modellen aan het klimaat gerekend. De resultaten van die
modellen worden regelmatig besproken in het IPCC, het
Intergovernmental Panel on Climate Change. Naar deze bijeenkomsten, waarvan die in Kyoto in 1997 misschien wel de
bekendste was, gaat ook altijd een uitgebreide Nederlandse
delegatie. Daarin zitten ook onderzoekers van het KNMI.
Regelmatig worden er toekomstverwachtingen voor het winterweer van Nederland gepubliceerd. Daarbij wordt uitgegaan van
drie scenario's: een gematigde wereldwijde temperatuurstijging
waarbij de uitstoot van kooldioxide sterk wordt teruggedrongen, een sterke groei van broeikasgassen en dus een sterkere
wereldwijde temperatuurstijging, en een scenario dat daar het
midden tussen houdt, het meest waarschijnlijke. Voor alle drie
de scenario's is uitgerekend hoeveel ijsdagen (de hele dag de
temperatuur onder nul) of vorstdagen (minimumtemperatuur
van een dag onder nul) er nog overblijven. Afhankelijk van het
scenario daalt het aantal ijsdagen van gemiddeld 10 nu naar 2-
6 in 2050 en naar 0-3 in 2100. Het aantal vorstdagen daalt van
gemiddeld 61 nu naar 29-45 in 2050 en 12-34 in 2100.

Elfstedentochten in de eenentwintigste eeuw

Ook bij een gering aantal vorst- en ijsdagen zullen er deze
eeuw zeker weer vorstperiodes voorkomen die lang genoeg zijn
om tot een Elfstedentocht te komen. In de twintigste eeuw zijn
er vijftien Elfstedentochten verreden, maar het hadden er meer
kunnen zijn. Denk aan de winters van 1979 en die van 1987,
waarin het zeker koud genoeg was om tot een Elfstedentocht te

Op de eerste en
tweede dag van
maart 2005 viel in
delen van
Nederland een pak
sneeuw van een
halve meter.
Dergelijke extremen kunnen ook in
de 21e eeuw nog
voorkomen.

Albedo

Onduidelijk is hoe groot de invloed van de toegenomen industriële bedrijvigheid en de bevolkingsgroei is in de gebieden
waar de koudste lucht vandaan komt. Als sneeuw vuil wordt,
verandert de hoeveelheid zonlicht die wordt teruggekaatst. Bij
hagelwitte sneeuw is de hoeveelheid terugkaatsing groter dan
90%, maar als de sneeuw vuil wordt, is dat veel minder. We
noemen die hoeveelheid terugkaatsing het albedo. Het albedo
van oceaanwater is minder dan 10%, wat betekent dat het
grootste gedeelte van de energie die van de zon afkomt in het
oceaanwater wordt opgeslagen. Daarom ook is het effect van
het afnemen van de ijshoeveelheid rond de Noordpool zo
groot.

Extreme kou in maart 2005

Krijgen we dan helemaal geen koude dagen en nachten meer?
Natuurlijk wel. Denk maar terug aan begin maart 2005, toen er

komen maar hij toch niet doorging. Wanneer je als criterium een ijsdikte van minimaal vijftien centimeter hanteert, hadden er de vorige eeuw wel 38 Elfstedentochten verreden kunnen zijn.

Aantal te verwachten Elfstedentochten

(tussen haakjes het potentiële aantal tochten)

Scenario	2001-2050	2051-2100	totaal
Optimistisch	6(15)	4(11)	10(26)
Gemiddeld	4(11)	2(5)	6(16)
Pessimistisch	3(8)	1(2)	4(10)

(Bron: website van het KNMI)

Het is duidelijk dat het gedaan is met de Elfstedentocht als het broeikaseffect niet wordt teruggedrongen.

Winterse ongemakken

Van winterse ongemakken zullen we de komende tientallen jaren niet verstoken blijven. De kans op gladde wegen blijft volop bestaan, al is te verwachten dat er steeds minder gestrooid zal moeten worden en niet alleen doordat het minder koud wordt. Wat dat laatste betreft, bij Meteo Consult wordt onderzoek gedaan naar de mogelijkheid om niet op de hele weg te strooien, maar alleen op vorstgevoelige stukken. Strooiauto's zullen daartoe met GPS-systemen en computers uitgerust worden waarmee real-time metingen vergeleken worden met computerberekeningen. Zo kan per tien meter beslist worden of er gestrooid moet worden en zo ja, met hoeveel zout.

NAO-index

De winter van 2006/2007 was de zachtste in de Nederlandse geschiedenis en klimaatonderzoekers van het KNMI denken dat die winter model staat voor de winters van de toekomst. Het zijn winters waarin de zuidwestenwinden overheersen en er depressies boven het noorden van Europa te vinden zijn in plaats van hogedrukgebieden. Om de sterkte van de zuidwestelijke tot westelijke oceaanstroming aan te geven wordt wel de NAO-index gebruikt. NAO staat voor Noord-Atlantische Oscillatie. De sterkte van de index is direct afhankelijk van het gemiddelde luchtdrukverschil tussen IJsland en de Azoren. De index is positief als de luchtdruk bij de Azoren hoger is dan bij IJsland. De afgelopen honderd jaar waren er periodes waarin de index sterk positief was, maar ook periodes waarin de index neutraal tot negatief was. In die laatste gevallen komt het

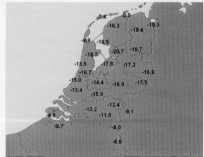

Ook in een warmer wordend klimaat kunnen nog heel koude nachten voorkomen, zoals op 4 maart 2005. Boven een pak sneeuw van een halve meter dik daalde de temperatuur in de polder tot -21 °C. Een maartrecord.

gemakkelijker tot een koude winter in Nederland. Gedurende de afgelopen dertig jaar was de index bijna steeds positief. Klimaatonderzoekers verwachten dat de index de komende tien jaar nog wel neutraal tot negatief kan worden, maar daarna vrijwel altijd sterk positief zal zijn, waardoor de kans op zeer koude winters miniem is.

Winterstormen

De klimaatdeskundigen zijn het er nog niet over eens hoe het met de winterstormen zal gaan. Sinds de jaren zestig van de vorige eeuw is het aantal stormen afgenomen, maar deze trend hoeft niet door te zetten. Mogelijk worden stormen zwaarder dan in het verleden. Dat zullen dan niet zozeer de stormen zijn die door grote depressies veroorzaakt worden en voor een sterke verhoging van het water aan de kust kunnen zorgen, maar eerder kleine, venijnige depressies. Denk daarbij aan de storingen zoals ze tijdens de kerstdagen van 1999 over Europa trokken. De depressies halen hun energie enerzijds uit de straalstroom, de band met sterke winden op ongeveer tien kilometer

Hoeveel keer nog zullen onder de beroemde brug van Bartlehiem de schaatsers razen bij het laatste deel van de Elfstedentocht naar Dokkum en Leeuwarden?

hoogte, en anderzijds uit de wat hogere zeewatertemperatuur. Het is mogelijk dat er in de toekomst in Nederland 's winters een depressie met de kracht van Lothar langstrekt, de depressie die op tweede kerstdag 1999 deels over Parijs trok en in Frankrijk voor een schade van tientallen miljarden francs zorgde.

Warme Golfstroom

De Warme Golfstroom zorgt ervoor dat het winterklimaat in West-Europa heel wat zachter is dan op vergelijkbare breedtes in Noord-Amerika en Azië. In de klimaatscenario's wordt er rekening mee gehouden dat de Warme Golfstroom in de loop van de eeuw ongeveer 25 procent zwakker wordt. Dat is niet genoeg om een ommekeer in de temperatuurtrend te bewerkstelligen, hooguit wordt het broeikaseffect er wat door getemperd. Enkele jaren geleden kwamen er berichten dat de Warme Golfstroom plotseling weg zou kunnen vallen, met een snelle en aanzienlijke afkoeling van West-Europa als gevolg. De laatste berekeningen laten zien dat de kans daarop heel klein is, maar niet geheel afwezig.

Ommekeer?

De klimaatverandering is onmiskenbaar en wordt door de mens veroorzaakt, daar is geen redelijke twijfel meer over mogelijk. Zelfs het gegeven dat de zon meer straling afgeeft dan vele eeuwen het geval was, is bij lange na niet genoeg om de klimaatverandering te verklaren. De belangrijkste oorzaak van het broeikaseffect is de enorme energiehonger van de mens. Die wordt nu voor een belangrijk deel gestild door fossiele brandstoffen, waarvan de voorraad eindig is. Als we doorgaan met steeds meer fossiele brandstoffen te gebruiken, zoals nu het geval is, dan mogen we verwachten dat de concentratie kooldioxide in de tweeëntwintigste eeuw tot het viervoudige zal stijgen. De klimaatveranderingen van deze eeuw vallen dan in het niet bij wat de mensheid de volgende eeuw te wachten staat.

De wereld is verslaafd aan fossiele brandstoffen. We hebben dus vooral met een energieprobleem te maken. De landen van de EU lijken dit te onderkennen en spreken zich daarom uit voor een sterke reductie van kooldioxide-emissies. Of dit gaat lukken is maar zeer de vraag. De EU heeft niet echt een goede staat van dienst opgebouwd om datgene te doen wat afgesproken wordt. Misschien wordt er wel heimelijk bij gedacht dat voor een aantal landen de klimaatverandering niet eens negatief uit zal pakken. In Nederland bijvoorbeeld kunnen we de zeespiegelstijging deze eeuw nog wel de baas en het warmere weer maakt Nederland in de zomer steeds aantrekkelijker als

vakantieland. In de winter neemt ons energieverbruik af, al zal dat wel geen daling van de energiekosten geven.

De klimaatverandering zal in grote delen van de wereld negatieve effecten hebben. Dat geldt vooral voor Azië. Landen als China en India, met hun enorme bevolking, zullen met een toenemende kans op droogte te maken krijgen. Een oplossing kan liggen in het gebruik van andere energiedragers die duurzaam worden geproduceerd. Een daarvan is waterstof, dat kan worden geproduceerd met straling en warmte van de zon. Een belangrijke impuls aan die ontwikkeling zou kunnen worden gegeven door de Verenigde Staten, in een poging om voor de energievoorziening niet meer afhankelijk te zijn van het Midden-Oosten en Rusland.

Zonneovens

De aarde ontvangt van de zon tienduizend tot vijftienduizend keer zoveel energie als onze huidige energieconsumptie. Om die zonne-energie te benutten, kunnen er zogenaamde foto-voltaïsche installaties gebouwd worden die rechtstreeks elektriciteit produceren, maar ook zonneovens, waar de hitte van de zon geconcentreerd wordt op een zoutkoepel die tot ongeveer 1200 °C wordt verhit. Die hitte kan gebruikt worden om water te dissociëren, te splitsen in waterstof en zuurstof. De waterstof kan dan als brandstof worden gebruikt. Bij de eerste modellen zonneovens, zoals er net een gebouwd is bij Sevilla, wordt alleen nog een turbine aangedreven die elektriciteit produceert.

Kernenergie

Om de klimaatverandering niet onbeheersbaar te laten worden, moet de kooldioxide-uitstoot drastisch omlaag. Belangrijk daarbij is dat de hele keten van energieopwekking en transport efficiënter wordt en dat er meer op energie wordt bespaard. Ook het in de grond terugstoppen van kooldioxide bij nieuwe energiecentrales is een mogelijkheid, maar niet geheel van gevaren ontbloot. Helaas is kernenergie, waarbij geen kooldioxide vrijkomt, in Nederland te veel uit beeld verdwenen. In het regeerakkoord is weliswaar afgesproken de centrale van Borssele voorlopig niet te sluiten, maar er komen ook geen centrales bij. Angst lijkt hier zwaarder te wegen dan rationele argumenten. Opslag van radioactief afval kan goed geregeld worden en om proliferatie tegen te gaan hebben we in een land als Nederland voldoende middelen. Zelfs zou een kerncentrale gebouwd kunnen worden waar door nabewerking van de radioactieve afvalstoffen isotopen met een veel kortere halfwaardetijd ontstaan, waardoor de straling in enkele tientallen jaren geminimaliseerd is. Zo'n nieuwe centrale kan zo worden gebouwd dat een melt-

De spiegels moeten zo ingesteld kunnen worden dat ze een maximale hoeveelheid zonnewarmte naar de top van de toren kunnen sturen. Eigenlijk doe je hier in het groot wat je vroeger wel deed: met een vergrootglas een veter aansteken.

Zonnetoren met spiegels: de zon is een onuitputtelijke energiebron. In Sevilla wordt de thermische energie van de zon (warmte) via spiegels verzameld in de top van een zonnetoren. Daar wordt met een hitte van meer dan 1000 graden elektriciteit gegenereerd.

down onmogelijk is. De goed winbare voorraden uranium zijn niet groot, en daarom is kernsplijting vooral een goede tussenoplossing voor de komende tientallen jaren.

Kernfusie

Kernfusie, het proces dat zich al miljarden jaren in de zon afspeelt, is een vrijwel onuitputtelijke bron van energie. Er zijn temperaturen van ongeveer honderd miljoen graden Celsius voor nodig en het is duidelijk dat er geen vat is dat tegen dergelijke temperaturen bestand is. Het plasma van zware waterstof dat tot fusie gebracht moet worden, kan echter ook in een magneetveld opgesloten worden. Het hart van een kernfusiecentrale zal dan ook een vat zijn waarin een zeer sterk magneetveld het plasma ver genoeg van de wanden houdt. In het zuiden van Frankrijk wordt het prototype van een kernfusiecentrale gebouwd. De uitdaging hier is dat er meer energie door de kernfusie geproduceerd wordt dan erin gestopt wordt om het plasma op zijn plaats te houden. Dit project heet ITER (www.iter.org) en er wordt samengewerkt door de EU, de VS, Japan, China, Korea, India en Rusland. Pas in de komende tien tot twintig jaar zal duidelijk worden of het kernfusieproces op aarde controleerbaar gemaakt kan worden. Ook bij het kernfusieproces komt radioactiviteit vrij, maar veel minder dan bij

kernsplijting. Een fusiereactor zou uitstekend geschikt zijn om waterstof te produceren.

Biobrandstoffen

Misschien is het te veel gevraagd om in de toekomst ook vliegtuigen op waterstof te laten vliegen. Daar zouden dan goed biobrandstoffen voor gebruikt kunnen worden. De huidige ontwikkeling, waarbij bijvoorbeeld in Brazilië grote stukken oerwoud gekapt worden om maïs te laten groeien voor de productie van biodiesel, is geen goede. Het rendement van het proces is slechts 1% en het heeft bovendien een prijsverhogend effect op sommige levensmiddelen. Suikerriet, dat een veel hoger rendement heeft, is al een veel beter alternatief. Interessanter zou zijn om te proberen het fotosyntheseproces, zoals zich dat in bomen en planten afspeelt, na te bootsen. Er zijn wat dat betreft veelbelovende experimenten.

Het zou goed zijn als Nederland een deel van de begroting voor ontwikkelingshulp zou gebruiken voor het opzetten van demonstratieprojecten voor duurzame energie. Dat kan zowel wind- of zonne-energie zijn als het gebruik van afval en biogewassen. We kunnen daarmee een technologische voorsprong opbouwen waar we als land nog vele jaren plezier van kunnen hebben.

Kamelen in het weiland: met het warmere klimaat wordt het steeds gemakkelijker om in Nederland beesten te houden die gewoonlijk alleen in veel warmere landen voorkomen. Kamelenmelk wordt tegenwoordig als een belangrijke hulp gezien in de bestrijding van ziektes en allergieën.

Bronnen en fotoverantwoording

Bij de totstandkoming van Winters van toen zijn de volgende bronnen gebruikt:

Boeken

Drs. J. Buisman – *Bar en boos*
H. Otten, J. Kuiper en T. van der Spek – *Weer een eeuw*
H. Otten e.a. – *Klimaat in beweging*
C. Beking, G. Kral, R. van den Heuvel – *Het IJzelboek*
Friese Pers Boekerij – *Elfstedentocht 1997*
Winter 1928/1929 (Uitgeverij Comp. De Branding, De Bilt)

Artikelen

K. Wilkie – 'Elfstedentocht 1985' in *Holland Herald*
Voor de winters van 1956 en 1963 werden de archieven van *BN De Stem* in Breda geraadpleegd. Hartelijk dank voor de hulp die wij daarbij kregen.
Verder zijn artikelen gebruikt uit:
– *Leeuwarder Courant*
– *Friesch Dagblad*
– *Trouw*
– *De Telegraaf*
– *Het Parool*

Internet

– het online krantenarchief van de Koninklijke Bibliotheek in Den Haag (http://kranten.kb.nl/index.html), met daarin artikelen van de periode tussen 1910 en 1945 uit *Het Vaderland*, *de Nieuwe Rotterdamsche Courant*, *Het Centrum* en *Het Volk*

– het digitale archief van *De Gelderlander* (http://www2.nijmegen.nl/wonen/geschiedenis_archeologie/Archief)
– de website van het KNMI (www.knmi.nl)
– de weernieuwsverhalen op de website van Meteo Consult (www.weer.nl)
– de geschiedenissite van de VPRO (http://geschiedenis.vpro.nl/)
– de schaats- en skate stek (http://www.schaats-en-skate.nl/)

Verder lezen

Meer nostalgische terugblikken op winters ongerief (het hoofdstuk 'De winter van 1947'):
http://www.jeugdsentimenten.net/2006/02/13/koude-winters/

Voor wie meer wil weten over het stoken in de winters van toen (het hoofdstuk 'Kleumen en stoken') zijn er een paar interessante websites:
om te beginnen schreef P. van Overbeeke in 2001 een proefschrift over 'kachels, geisers en fornuizen', dat integraal op het web te lezen is en veel informatie bevat (ook over oliestook en de overgang naar aardgasverwarming): http://alexandria.tue.nl/repository/books/551659.pdf
Over de kolendistributie en de geschiedenis van de kolenhandel, met veel foto's:
http://www.noviomagus.nl/Gastredactie/TerStege/TerStege.htm

Beeld van de gracht bij de Groenburgwal in Amsterdam tijdens een koude dag, begin maart in de winter van 1947.

Sneeuwoverlast in Volendam tijdens de winter van 1947. Een harde wind van het IJsselmeer heeft de sneeuw in de straten op grote hopen gewaaid.

http://www.rotterdammers.nl/dagel/vragen09.htm
Wie zin heeft om thuis een kolenhaard of -kachel te stoken, kan dat doen. Kolen zijn nog steeds te koop en
haarden en kachels ook. Website:
http://www.kolenkachel.nl/KOLENSTOOK%20STARTERS%20PAKKET.HTM

Er zijn in Nederland drie musea gewijd aan kachels en haarden: in Alkmaar, Vriezenveen en Boekel (Noord-
Brabant):
http://www.kachelmuseum.nl/
http://abeelsfotohoekje.deds.nl/kachelmuseum.html
http://www.brabantmuseumland.nl/P_musea_detail.asp?code=B.1

Wie meer wil weten over ijsbloemen kan, naast Google, het boek *De Natuurkunde van 't Vrije Veld* van M.
Minnaert, deel II (1939, herdruk 1996), raadplegen bij 'vensterrijp' en 'vensterijs'
De informatie over het 'knerpen van de sneeuw' en de 'stilte na de sneeuwbui' komt uit: J. Walker, *The Flying
Circus of Physics*
De informatie over 'sneeuwkristallen' komt uit: dr. M. Minnaert, *De Natuurkunde van 't Vrije Veld*, deel II

De vertekening van tijdsduur (in het hoofdstuk over 'Kinderwinters') is ook het onderwerp van het bekende
boek van Douwe Draaisma *Waarom het leven sneller gaat als je ouder wordt – (over het autobiografische geheugen)*

Meer informatie over het zonneproject bij Sevilla is te vinden op www.solucar.es
In Nederland propageert de stichting GEZEN het gebruik van zonne-energie: www.gezen.nl
Informatie over het kernfusieproject in Frankrijk is te vinden op www.iter.org

Fotoverantwoording

© Collectie Spaarnestad Photo, m.u.v.
blz. 21, 22 (r.b. en r.), blz. 23, blz. 24 (r.o.), blz. 25 (r.b.), blz. 26 (r.b.) en blz. 27 (r.b.) uit: *De winter van 1929*
via A. Vierhout; blz. 43 en blz. 132 via J. van Suchtelen; blz. 44 (l.b.): via H. Geijsen; daaronder: via Th. de
Jong-van Apeldoorn; blz. 46 (l.b.), blz. 135, blz. 139 (r.o.) en blz. 141: M. van der Schaar; blz. 59 (l.o.) via H.
Otten; blz. 61: H. Benning; blz. 67 (midden): via J. Effing; blz. 78 (midden): fam. J. Vinke; blz. 83 (r.b.): via J.
van der Sluis; blz. 83 (l.o.): via D. Duyvelshoff-van Peski; blz. 86, blz. 87 en blz. 90 (r.o.): P. van den Born; blz.
91, blz. 105 (r.b.), blz. 124, blz. 125 en blz. 127: T. van der Spek; blz. 104 (l.b.), blz. 111 (r.o.) en blz. 128: D. de
Graaf; blz. 116 en blz. 117: J. Wäckerlin; blz. 120, blz. 121 en blz. 126: A. Snoek; blz. 130 en blz. 131: A. Vierhout;
blz. 136 en blz. 137: Nuon; blz. 138 en blz. 139: Abengoa (Sevilla); blz. 138 en blz. 139: R. Veldhuizen

De foto's op blz. 44 en 83 zijn eerder gebruikt voor 'Extreem weer aan zee', een project van beeldend kunste-
naar Annelies Dijkman. Dit project was een onderdeel van de manifestatie 'De zee, het strand en de haven',
georganiseerd door Stroom, Den Haag, 2005
(http://80.69.70.38/woord.php?woord=Weer+en+klimaat)

We zijn dank verschuldigd aan:

Mevr. A. Reitsma-Heidinga, G.J. van Sligtenhorst, fam. J. Vinke, A. Vierhout, T. Spannenburg, fam. P. van den
Born, J. Effing, A. Snoek, H. van Hulssen, Th. Bronkhorst, J. Wäckerlin, W. Zikkenheimer, J. Bernard, M.
Hoogers en H. van Abbema

Een woord van dank ten slotte aan Jaap van Suchtelen, die niet alleen aan dit boek meegeschreven heeft,
maar ook altijd kritisch meekeek tijdens het hele proces!

Drommen toe-
schouwers moedi-
gen de deelnemers
aan de Elfsteden-
tocht van 1986 aan,
hier vanaf een brug
in Harlingen.